레이는 손을 놓았다. 1분 1초가 천천히 흐른다. 그녀는 늘 그렇듯 오십 걸음쯤 멀리 서서 내게 손을 흔들었다. 그런 일이 있고 나면 항상 다음날 같은 시간까지 내 심장은 느리게, 아주 느리게 움직였다.

레이는..

아니, 내가 기다린 건 무엇이었을까.

타인의 숲

발 행 | 2024 년 01 월 29 일
저 자 | 박현석
펴낸이 | 한건희
펴낸곳 | 주식회사 부크크
출판사등록 | 2014.07.15.(제 2014-16 호)
주 소 | 서울특별시 금천구 가산디지털 1 로 119 SK 트윈타워
A 동 305 호
전 화 | 1670-8316
이메일 | info@bookk.co.kr

ISBN | 979-11-410-6929-2

RISCIRI

타인의 숲

OTHERS

1

"자… 잠깐만!!"

그녀는 멀리서 뛰어오더니 내 손목을 낚아챘다.
소맷부리가 나 대신 입을 비죽 내밀었다. 이 상황이
놀랍지도 않은데다 나는 이미 저 안에서 비릿한
표정을 보냈다. 나를 이렇게 잡아 세운들 별장 안의
저 치들이 좋아할 리가. 아마 안줏거리 삼아 씹어
대겠지.

"그냥 이렇게 가버린다고? 어떻게 그래? 네가
없으면 아마 어떤 일도 벌어지지 않을 거야.
그거야말로 무책임한 거라고…."

레이는 곧바로 다음 말을 뱉지 않고 입을
우물거렸다.

쳇. 레이의 말대로 이 상황은 아무래도 좋지
않다. 그녀는 정혼자가 있었고, 그 정혼자는 창문
틈으로 관망하는 걸 좋아했고, 그는 저
미스터리하고 기분 나쁜, 별장치고는 꽤 큰 건물
안에 있었다.

사소하게 벌어지는 일 중에 내가 가장 꺼리는
것이 있는데, 그건 '관계'의 문제였다. 레이의 멍울
자국을 가린 긴팔 옷이 마음 아프지만, 나는 지긋이
손을 뒤로 빼면서 선을 그었다. 만에 하나, 가려진
커튼 틈으로 여길 보고 있을 저 관음증 환자가 훗날,
내게 작은 호의를 베풀 것을 기대하면서.

하…

"내가 무책임하다고? 웃기지 마. 다들 똑같이
호소니란 녀석의 초대에 응한 것뿐이잖아.
그런데… 그런데. 이런 식으로 몰아세우는 건
아니지."

"하지만…"

나의 결정은 언제나 확고부동했다. 대체로
역경이나 고난이 가미된 일들이 있었지만,
그런대로 성장에 필요하면서도 효율이 좋지 못한
동력 장치라고 믿어왔다. 그런 경험치로 보았을 때
지금도 별반 다를 게 없겠지…
레이는 무언가 더 말할 듯 말 듯 입술을
우물거리다가 포기하고 이내 별장으로 돌아가
버렸다. 우릴 지켜보던 창문에서 스르륵 커튼
닫히는 소리가 여기까지 들렸다.

오후 8시쯤인가?

하늘은 어둑어둑했고 밤 까마귀는 이제 막
울기 시작했다. 나는 별장을 떠난다고 했으나, 그게
말처럼 쉽지 않았다. 낮의 레이의 미묘한 표정 같은
게 도무지 초여름 새로 난 이파리의 푸른빛으로도
덮이지가 않아서 손에 꼭 쥐고 있던 차 키를 도로
바지춤에 찔러 넣었다.

결국, 8시가 다 되어서까지 이름 모를 야초를
꼬나물고 별장이 훤히 내려다보이는 언덕에서
시간을 죽였다. 그곳은 이상했다. 대개 사연 있는
건물은 주변지형 높이의 이상으로 지어져 요새라
불려야 으뜸으로 치는데, 해안 절벽에 테이블
끄트머리처럼 세워진 별장은 오히려 땅을 주변보다
훨씬 낮게끔 절토하여 에워싼 언덕으로 하여금….
(5층짜리 별장의 옥상과 맞먹는 높이)

뭐랄까. 마치 '덫에 놓인 치즈'로 보였다. 하긴
그런 생각도 무리가 아니다. 관점에 따라서
그렇기도 했으니까.[1]

---

[1] 쥐는 치즈를 좋아하지 않는다

그런 의미에서 별장은 겉으로만 봐도 위험해 보였다. 내가 쌓아온 직감이란 게, 5km 나 되는 초입부터 죽 이어진 한 길에 들어선 어제부터 발동하여 일정 거리마다 접힌 우산처럼 설치된 초소를 무려 네 번이나 지나친 뒤 지금까지 그 경계가 늦춰지지 않았다. 나는 곤두세운 신경을 올곧게 유지하는 일이 매우 피곤한 일이라는 걸 알아서 감도를 내리려고 꾸준히 애썼는데 오히려 피로가 몰려와 나를 지치게 하였다. 나는 대강 이런 느낌으로 후에 이 별장을 빠져나가는 순간까지 기운을 최대한 아껴야겠다는 생각에 혈당을 높이는 웬만한 군것질거리도 꺼리지 않고 열량을 보충했다.

매해 대표적인 피서지로 손꼽히는 이곳 바부노 해안은 해외 여행객들도 한 번쯤은 들어보고 슬쩍 왔다가 아예 눌러앉은 외국인들이 많은 지역이었다. 그런데 이곳은 분명 같은 이름을 공유하는 해안가인데도 답지 않게 한산했으며, 어째선지 작은 선박조차도 이쪽 지역만큼은 특별 사유지로 인정해 꺼리는 것인지, 소문이 좋지 않아 그런 것인지, 부채꼴로 보이는 바다로는 도무지 배

비스름한 모양의 구조물은 코빼기도 찾아볼 수 없었다.

수 십 km 를 걸쳐 둥그스름 구부러진 해안선은 돌연 자연의 변덕에 죽 뻗은 곡선을 이루지 못하고 심하게 꺾여 특정 변곡을 형성했다. 이런 곳의 특성상 고립된 느낌이 어딜 가나 마찬가지겠지마는 내가 아는 한, 사람에 의해 활달히 소비되는 해안과 극명히 대조를 이루는 곳은 여기뿐이라 장담한다.

이 곳은 특히 양쪽으로 각각 다른 이름의 해변을 끼고 있어서 먼 하늘에서 보면 유독 볼록 튀어나와 가시처럼 보여도 가장 얇은 부분의 폭이 무려 1km 쯤은 되었다. 절벽 따라 수풀이 우거진 이유도 땅이 비옥해서가 아니라 키만한 잡목만 무성하기에는 너무 넓어서였는데 그러니 바로 옆으로 파도소리가 들리지 않았다면 숲 한가운데라고 해도 믿었다.

나는 어제 오후에야 비로소 별장에 뒤늦게 도착했다. 이 지역 지리를 잘 알지 못해서 헤메게 되었다. 그렇다고 레이와 마빈, 또는 다른 사람들이 여기를 잘 알아서 먼저 도착한 게 아니니 또 뭐가

문젠지 모르겠다.. 부지런함의 산물일까? 그 하루 전에 모두 짜맞추기라도 한 듯 출발을 했으려나?

　　그게 아니고서는 납득하기 어렵다. 나는 막 도착한 시점부터 사람들과의 묘한 거리감을 도무지 좁힐 수가 없었다. 먼저 "안녕하세요." 라고 말을 걸면 되돌아 오는 답은 '아 그러세요' 같은 태도였다. 그러나 나를 제외한 사람들끼리는 고작 하루도 지나지 않았을 뿐인데도 데면데면한 정도로 그쳤다. 그래서 나는 첫 번째 초소에 막 들어섰을 때 환영의 의미로 받은 장미꽃 다발을 방 쓰레기통에 꽂아 버렸다. 만약 레이와 마빈이 없었더라면 분명 나는 첫날부터 이 기시감을 내 탓으로만 돌렸을지도 모른다.

　　이제 나는 호소니 별장의 유일한 입구로 시선을 던졌다. 편백림 사이로 이리저리 굽이치는 비포장도로에서부터 공터까지 연결된 선명한 바퀴자국이 전반적으로 몽환적인 이곳 숲 풍광에 유일한 흠이었다. 나는 그 점이 죽 거슬렸다. 벗겨진 페인트, 구겨진 우유갑, 뭐 그런 건 마저 벗겨 내거나 구기면 그만이지만 왠지 바퀴자국을 보면 밀림의 제인 포터나 주인공의 고고함을

15

돋보이게 끔 추어올리기 위해 조연들이 하고
싶지도 않은 희생을 강요하는 것 같이 눈꼴이
시렸다.

바큇자국마다 간혹 손가락 두 마디까지 움푹
팬 부분은 흙을 양옆으로 밀어 내리면서 물이
지저분하게 고였다. 그 수면에 뜬 은은한 달빛이 내
눈꺼풀을 간질이고 비스듬한 늦봄 궤도를 따라
은밀히 움직였다. 나는 잠시 고독을 음미하면서
일어나 이번엔 담배를 물었다. 조금 걷기도 하면서
괜히 돌부리를 걷어차기도 했다. 그리고 다시
담배를 물었을 땐, 라이터가 말썽을 부렸다.

틱틱.

"젠장…" 그때쯤 나는 피곤했다.

앞서 말한 특이 지형 때문에 주변으로 금세
습기가 차올랐는데, 곶 끝으로 모이는 해풍이
이곳의 축축한 기운을 퍼트리지 못하게끔 메아리친
탓에 별장은 초저녁부터 엷은 안개가 깔리기
시작했다.

그러다 자정이 넘어가자 건물을 모두 뒤덮은
두터운 안개층이 내가 서 있는 언덕 발치를
아슬아슬하게 넘실대며, 건너편 건물 옥상이 안개

수면에서 망망대해를 표류하는 기묘한 모습에
한동안 빠져들었다. 별장 입구 쪽엔 비라도 내리는
걸까? 알 수 없는 청량감 혹은 시원한 물줄기
소리가 들린다. 그리고 뿌옇게 번지는 빛?
부우우웅. 자동차 배기음, 문 닫히는 소리, 등등.
다시 불이 꺼졌고 나는 눈살을 찌푸렸다.

"지금 이게 대체…."

나는 황급히 별장 진입로를 향해 뛰었다.
비탈진 땅이 질퍽거렸고 사실은 그딴 거 하나도
신경 쓰이지 않았지만, 여전히 바퀴자국은
거슬렸다. 별장 공터에 다다른 나는 숫자를 셌다.
하나, 둘, 셋, 넷…. 일고여덟? 나는 휴대전화를
꺼내 전화를 걸었다.

건너편에서 쇠 긁는 목소리가 들렸다.
여보세요. 아, 예.. 예? 하나가 늘었다고요? 그럴
리가요. 별장으로 가는 지상로는 이곳 밖에…
명단에는 여덟대가 맞습니다. 불러주신 차량 번호
모두 확인됐고요... 뭐요? 아니 그럼 제가
근무시간에 졸았단 말입니까? 참나. 한! 당신이
헛것을 본 거요. 사람들도 있으니 술도 한잔했을

테고, 이 전화도 취중일 테니…. 아무리
당신이라도… 내일 아침 다시 얘기하시죠. 전화
끊소. 뚝.

　'다행스럽게도 불청객은 아닌가?'

　나는 자로 잰 듯 일렬로 즐비한 차량 쪽으로
다가갔다. '이건 레이 꺼. 이건 내 차. 그리고
이건…'

　그렇게 기억을 더듬다 한쪽 구석. 수직으로
깎인 토면으로부터 샛노란 비린내가 무거운 안개를
비집고 풍겨왔다. 해풍과 뒤섞인 짠 내에 미간을
좁혔다. 남자? 혹은 남자인 척하는 여자? 섣불리
판단할 수는 없다. 여긴 그런 곳이니까..

　어쨌건, 엔진의 잔열, 물기가 덜 마른 타이어,
등을 미루어보아 신원은 쉽게 파악할 수 있을 것
같아 안심했다. 나는 다시 휴대전화를
만지작거렸지만, 어쩐지 전화 속 상대가 '아무리
당신이라도' 라고 했던 것이 마음에 걸려서 차량
번호만 수첩에 적어두고 내일 아침으로 미루기로
했다.

"일어나! 한!"

아침이 밝았다. 눈을 떠보니 응접실에 뻗어 있었고 접객용 술이 테이블에 놓여있었다. 그중 한 병은 병째로 비어있었는데. 내가 마신 건 아니었다. 나는 그저 저주스러운 햇살이 비치지 않길 바라면서 어젯밤 일을 곱씹었고 당시 마시지 않았다고 진술한 게 무안할까 봐 조금씩 잔을 두고 따라 마셨던 것뿐이다. 그런데 정말 저 빈병은 나와 상관이 없었다.

"윽…."

"무심한 척하더니 결국은 내가 신경 쓰여서 돌아왔구나?"

"커튼 좀 다시 쳐 줄래? 그리고 아니거든!"

"후후. 아닌 척하긴."

레이는 아침부터 혀를 내미는 것 같았다.

"네가 아무리 그래도 커튼은 어쩔 수 없어. 잠시 후면 사람들이 응접실로 내려올 텐데, 이런 어두컴컴한 곳에서 남녀 둘이 있으면 뭐라 생각하겠어?"

"….음."

나는 적당한 농담을 던지려 했지만 선뜻
내키지 않아 고개를 끄덕이는 것으로 그쳤다.
그토록 꺼리던 창밖은 희끄무레한 갈매기 배설물을
닦다 말다가를 반복한 흔적이 태양 빛에 가려져
실내가 얼룩졌다. 그런 점박이 그림자가 내 몸에
닿으면 왠지 모르게 근질거려서 참을 수가 없었다.
하지만 엄밀히 말해서 창 밖과 안은 명확히 구분돼
있었기에 그런 기우에 지나지 않음을 인지하려고
노력했다. 잠시 후 누가 먹다 남은 술을
홀짝인다든지, 레이에게 딴죽을 건다든지 하는
일을 상상하며.

나는 잠시 푸른 바다에 시선을 빼앗겼다.
해안으로 밀려오다 거품으로 사라질 물결도
그렇지만 270°나 되는 탁 트인 만경창파의
노련함은 내 깊은 곳에 숨겨둔 감정을 뭍으로 끌어
올렸다. 그때 레이는 창가에 서서 푸른 광원을
등지고 나와 눈이 마주쳤다.

그녀는 익살스러운 웃음을 지었다. 분명
그랬을 것이다…

잠시 후 사람들은 한둘씩 응접실로 모이기
시작했고, 마치 작전이라도 짠 듯 두 칸짜리 계단
지점을 통과할 때마다 사람들은 하품을 뱉었다.
소파 곳곳에 있던 뿌연 먼지가 기지개를 켜면서
때때로 사람들은 마른 기침을 토했다. 그러나
누구도 하얗게 채록된 창문을 건드릴 생각조차
하지 않았다.

열 명 남짓 되는 사람들은 거의 모두 단정한
차림으로 의자나, 소파나, 바닥이나 궁둥이가 붙을
곳이라면 벽이라도 기댔다.

"… 어제 나간 거 아니었나요?" 누가 나를 향해
쏘았다.

"볼 일이 남아서요."

나는 대충 대답했고 그곳을 빠져나가려고 했다.
따가운 시선, 귓속말, 웃음, 등등이 불편했던
것이다. 거기엔 마빈의 것도 섞여 있었다. 그런데
문득 궁금했다. 대체 사람들은 왜 응접실. 그것도
이른 아침에 모인 거지?

"입맛에 맞으세요?"

"네, 괜찮네요."

나는 혼자 2층 식당에서 아침을 먹었다. 여느 유명 관광지와 다를 바 없는 전망 좋은 테라스가 딸렸는데, 웨이트리스는 무심한 내 대답을 적당히 포장해서 주방에 전달한 모양이다. 후식으로 '먹을 만한' 아이스크림이 나온 걸 보면. 그러나 실은, 주찬이 된장찌개였는지 국이었는지도 모르겠고 아무 맛도 없었다. 나는 멍한 상태로 좀 전에 있었던 일을 되짚으면서 어제 새벽에 통화했던 별장 파수에게 전화를 걸었지만 받지 않았다.

"저기요!" 나는 손을 흔들었다.

웨이트리스가 잰걸음으로 다가왔다.

"어제 무슨 일이 있었습니까? 사람들이 왜… 조금…"

"표정이 좋지 않으냐고요?"

"차라리 그런 거면 좋겠어요."

그녀는 호소니 별장의 규칙이라며 알려주지 않았다. "빵을 좀 더 드릴까요?" 하기에 나는 거절했다.

그리고 유리컵에 비친, 그때까지 일부러 마주치지 않았던 웨이트리스의 가면을 차분히

훔쳐보았다. 은색 귀걸이가 앙증맞은 귓불
근처에서 흔들거렸고, 나는 그대로 광대를 따라
중앙 부분으로 천천히 매우 조심스럽게 시선을
옮겼다. 마음 졸이며 뻔한 사건을 확인했을 때,
'그럼 그렇지'라는 안도감이 들었다.

정체 모를 하얀 플라스틱 같은 꺼풀이 모든
굴곡을 대신하여 반들반들한 상태로 때로는 흐릿한
형태를… 그걸 얼굴이라 부를 수 있는 건지…
지지지직. 나는 황급히 고개를 돌렸다.

두 사건이 부딪힐 뻔했다.

쿵쾅거리는 심장 부근을 한창이나 부여잡고
진정시키는 동안 웨이트리스는 접시를 한가득
가져갔고 이번엔 마빈이 이쪽으로 쭈뼛거리며
걸어왔다.

"레이가 보냈나요?"

그는 머리를 가로젓는 듯했다.

"그냥 못 이기는 척 함께 있는 게 낫지
않습니까 괜히 자존심 부려봐야…."

뭐, 나만 손해라고? 나는 그런 느낌으로
머리를 기울였다. 그가 나를 쳐다봤는지는 별개의
문제지만.

"하긴, 제가 뭐라 할 일은 아니지마는.. 어쨌든 제 생각은 어제 일을 조금 예민하게 받아들이신 것 같습니다. 다들 응접실에 있으니 얘기를 해서 오해가 있다면 푸시는 게 어떻습니까? 게다가…"

"…..?" "아무것도 아닙니다."

그는 싱겁게 말끝을 흐렸다. 반면에 나는 그의 충고를 거의 듣지 않고 있었다. 겨우 어제 이곳에 온 지 반나절 만에 이곳저곳을 횡행하여 사건의 실마리를 잡았더니 결국은.. 기분이 퍽 상해서 누구와도 만나고 싶지 않았다.

별 시답잖은 어제 일의 전말은 이러했다. 나는 고작 한 시간 정도 출발이 늦어져서 막힌 바부노 해안 도로를 뚫으며, 라디오 주파수를 이리저리 맞추었다. 혹시 무슨 사고라도 난 건 아닌지, 수천 마리 병아리 떼를 싣던 트럭이 전복된 건지, 그렇지 않고서야 매번 앞차의 붉은 전광을 보고 밟는 브레이크 페달이 신경질적으로 신경 쓰일 리가 없다. 하지만 체증이 다 날아갈 지점에서는 정말 아무 일 없다는 듯이 차들이 쌩쌩 달리고 있었다. 여느 도로가 막히는 게 그렇듯 역시나 이유가 없었다.

내가 겨우 별장에 도착했을 때는 다들 이미 아는 사이인 것처럼 친하진 않지만 어색함 없이 굴었다. 나는 별장에 초대된 사람들의 그런 행동거지가 가면을 썼기 때문에 비롯된 거로 생각해보기로 했다. 그런 마음가짐으로 별장 이곳저곳을 떠도는데 단 한 사람. 그러니까 내가 지목한 저 사람이 내 눈에는 비정상적으로 날카롭고 위태로워 보였으며, 나만큼이나 필요 이상으로 경계를 하고 있던 거였다. 처음엔 나와 비슷한 의심병 많은 직업을 가지고 있나? 싶었는데 한 부분에서 편집적으로 반응하는 걸 보곤 내 의심은 증폭되었다.

그는 어딜 가든 개수를 헤아렸다. 가면의 머릿수, 차량 수, 접시, 의자… 마치 여행 가이드가 깃대를 추어올릴 때마다 사람들을 감시하는 것처럼. 숫자에 집착하던 남자는 결국 내게 덜미를 잡혔다. 나는 그 불쾌한 시선을 평범한 사람들처럼 견딜 수 있는 타입이 아니었다. 거기서 나를 향해 사람들이 질타하기 시작했고, 마빈은 아마 레이 때문이겠지만 내 편을 들었다. 당시 레이는 그 자리에 없었다. '초대 손님이 아니시죠?' 라고 시비가 붙은 게 몸싸움으로까지 번졌다. 나는 결국 씩씩대며 옷매무새를 다듬고 별장 밖을 나섰다.

그러나 결국 다시 별장에 온 것은..

"어쨌든 당신도 궁금하잖아요. 누가 '얼굴'을 가지고 있는지. 그래서 나가려다 돌아온 것일 테고요."

그는 내 이마 근처 케라틴질인지 뭔지를 가볍게 툭툭 치고 응접실로 가는듯했다. 웨이트리스는 그런 우리를 감흥 없는 배경으로 여겼다. 나는 내 얼굴을 온전히 덮은. 아니, 더 정확하게는 안면부에 거듭 형성된 손톱이나 새 부리와 비슷한 물질 형태를 만졌다. '대체로' 타원의 방패 모양을 했지만 하얗게 번진 면적 중 무작위적 한 점을 중심으로 몇 갈래로 뻗친 입체 굴곡을 만들었다. '내 것'은 정 가운데 약간 솟은 부분이 있었고 굴곡은 평범하게 가로, 세로로 한 번씩 그어있었다.

그리고 안면부 가장자리엔 페스츄리 빵처럼 겹겹이, 매우 단단한 층을 이뤘다. 눈도 없고, 코도 없고, 입도 없었다. 그저 있는 걸로 믿기로 해서 우리들은 정중앙을 긁으면 코가 간지러웠던 것이고

거기서 조금 더 위쪽에 손을 가져다 대면 언짢은
이유로 미간을 좁힌 거로 약속한 것이다. 이런
원리를 이해하고 덧붙어 현대인의 커진 모공
따위는 정체불명의 단단한 물질로 대체되었고
장점이라고는.

세수할 때 수세미로 문질러도 될 만큼
편하다는 거 정도였다.

"젠장…"

나는 같은 표정을 하고 있을 웨이트리스와
그녀가 걸터앉은 선반, 혹은 높은 의자라고 할만한
것이 내심 신경 쓰였다. 더 높은 위치에서 사물과
나를 내려본다는 점이 견딜 수 없을 만큼 숨이
막혀서 그대로 식당을 빠져나왔다.

탁탁탁탁. 그때 나는 무슨 생각이었는지
다급한 소리가 들리는 나선의 계단 쪽으로 머리를
기울여 뒷모습만 날리는 남자를 따라갔다. 너무
빨라서 거리가 더 벌어지기 전에 코너에서 그의
어깨를 잡았다. 작은 체구에 비해 단단하고 굵직한
느낌을 받았는데 강골한 인상이 깊게 배서 그의
이름을 굳이 물었다. 그는 자신을 뮬이라 소개했다.

"무슨 일 있습니까?"

"늑장을 부려서… 어라? 당신은.."

그는 내 차림을 알아보고는 더 말했다. "한 씨… 죠? 그럼 모르시겠네요. 당신이 별장을 나간 뒤에 공지가 있었어요."

"공지라면?"

"호소니의 전달책이 아침 응접실에서 입을 열기로 했거든요."

"네?" 나는 화들짝 놀랐다. 그런 일이라면 당연히 내가 있어야 마땅한 거 아냐? 베일에 싸인 호소니의 끄나풀, 혹은 순화해서 전달책인 그를 잡아내는 공헌에 상당한 이바지를 했으니까. 하지만 레이조차 내게 말해주지 않았고 나는 사람들과 물에 뜬 기름처럼 내외했다.

"한 씨. 어제 일 같은 짓은 하지 마세요. 당신을 위해서 하는 말입니다. 그래도 바로 어제 당신이 새로 오기 전까지는 사람들과 친하게 지냈으니까요... 아마 그래서 사람들이 놀란 걸 겁니다."

뮬은 머리를 긁적였다. "....."

내가 다시 응접실에 발붙였을 때, 여전히 주변은 얼룩져 있었고 책상 위엔 술병이, 창문은 여전히 닫힌 상태였다. 레이, 레이는? 그녀의 침울한 그림자가 다른 사람의 것과 포개어져 조용히 소파 밑에서 숨을 죽였는데 차라리 그 모습에서 안도감을 느꼈다. 응접실은 내가 들어서기 전부터 줄곧 이런 침잠한 분위기가 도래했음을 그 '전달책'이라는 남자의 기묘한 웃음으로 알 수 있었다.

마치 삐걱대는 문 경첩, 공기 빠지는 호스… 같은 공기를 억지로 밀쳤을 때와 같은 거슬리는 소리로 웃었다. 낄낄낄.

내가 어제부터 전달책이라 지목한 그 남자는 캐러멜이라는 다소 이름 같지 않은 이름을 가지고 있었다. 목 주변으로 흰 시보리 천이 덮인 채 의자에 묶여있었는데, 미용실에서나 볼 법한 모습으로 사람들이 큰 놀림 거리를 뱅 둘러앉은 게 그곳 풍토상 자연스럽다고는 할 수 없는 것이 바로 붙은 뮬도 이상한 시선으로 쳐다봤다.

그러나 곧 그럴 수밖에 없음을 이해했다. 그의 안면부의 뽀얀 상피 구조 단백 껍질이 들썩거리니 그 사이로 공기 거품이 터지면서부터 비롯된 짜고 역한 냄새에 나는 곧 소름이 돋았고 그가 막 고개를

들어 나를 향했을 때는 도무지 어제와 같이 대치할
수 없을 정도였다. 다행인 건 그 반응에 사뭇 내게
느껴졌던 따가운 시선들이 전구 스위치를 꺼버린
듯 한순간에 유순해졌다는 점이다. 그건 초대
객들이 내게 보내는 동정표이자 깨알 같은
호의였으리라.

　　나는 슬며시 빈 소파 팔걸이에 엉덩이를
깔았다.

　　그가 말했다.

　　"이제 다 온 것 같으니 말씀 전하겠습니다."
그건 틀림없이 나를 두고 한 소리였다.

　　"우선, 호소니 씨는… 유감스러워함과 동시에
기뻐하고 있습니다. 아예 예상하지 못했던 건
아닐뿐더러 이런 작은 이벤트를 기대하고 계셨으니
말이죠. 심지어는 어제 일로 한 씨께 감사하다는
말도 전하셨습니다."

　　자칫 어제의 사건으로 우스꽝스러운 심판을
받는 저 자리가 내 자리가 될 뻔했다 생각하니 치가
떨렸는데도 나는 아무런 반응 없이 잠자코 있었다.
나는 마빈 덕에 운이 좋았던 것뿐이다.

"그게 무슨 개 같은 말이죠?" 마빈이 날카롭게
쏘았다.

"간단히 말해서 '이런' 시간도 필요에 의한
것이란 뜻입니다. 앞으로 당신들이 마피아
게임이라도 하는 것처럼 신 나게 설쳐대는 것도 뭐,
좋겠습니다만. 이곳에 초대된 '목적'을 잊지 말라고
당부하셨습니다."

침 넘어가는 소리가 여기저기서 들렸다. 그래,
초대장에 그렇게 쓰여 있었지..

"이 방안에 '얼굴을 가진 존재'가 있습니다.
여러분도 모르는 표정을 홀로 염탐하고 웃으면 이
상황을 즐기고 있는 뻔뻔한 사람 말이죠…."

나는 팔짱을 끼고 턱을 내리깔아 그런 자세로
눈을 부단히 굴려 힐끔힐끔 사람들을 쳐다보았다.
다들 경직된 가면인 채로, 그곳에 흠집을 내거나,
약간 벌어진 틈으로 이를 딱딱거리거나, 등등.
초조해했다. 나는 습관처럼 레이를 쫓았고 그녀도
남들과 비슷한 행동을 했다. 오히려 시큰둥하게
바깥 풍경을 보는 사람은 뮬과 구석에서 침잠한
분위기를 풍기는 어떤 여인 정도였다. 저 둘은 이

일에 흥미가 없는 것인지, 그러는 척 위장하는 건지, 그것도 아니면 얼굴을 가진 쪽인 건가?

"어떻게 아는 겁니까?"

"물론, 주최 측 호소니 씨조차도 직접 증명할 길이 없지만.. 그자가 이곳에 있는 것만큼은 분명한 사실입니다."

그러자 무릎 담요 아래로 발가락을 꼼지락대던 여자가 나서서 짜증스럽게 대꾸했다.

"그건 말이 이상하잖아요. 초대를 전제로 했다는 건, 이미 누구인지 알고 있다는 뜻 아닌가요? 그런데 또 찾으라니…"

"정말 초대장에 쓰인 대로 그자를 찾아낸 사람에게 표정을 준다는 게 사실입니까? 그게 가능합니까? 호소니라는 사람이 뭐라도 돼요?"

"예. 호소니 씨는 가능하십니다."

캐러멜은 단호하고 확고하게 말했다. 하지만 나는 저 의미를 어렴풋이 알고 있다. 단단하면서도 언제라도 작은 바람에 결정이 돌아설 것만 같은. 어제의 나와 비슷한 그런 가벼운. 헤어지자 할 땐, 매 순간 진심이지만, 돌아서면 전 애인을 찾는 심경이랄까? 그런 느낌이 들었다.

"무슨 허무맹랑한…."

마빈이 다리를 떨다 말고 자리를 박차고 일어났다. 가만히 있으라고 마빈.. 내가 한마디 거들어야 하잖아.

"자자. 다들 흥분을 조금 가라앉히고 일단 들어나 봅시다. 호스트 쪽에서도 증명 못하는 일을 무슨 근거로 얼굴 가진 사람이 이곳에 있다고 생각하는지. 말해보시죠. 캐러멜 씨."

마빈이 흥분을 가라앉히고 도로 앉았다. 그렇게 말하는 나도 사실은 궁금해 미칠 지경이었다. 표정을 준다고? 그건 얼굴을 돌려받을 수 있다는 뜻일까? 얼굴 없이 표정뿐이라면 그건 또 무슨 해괴한 말인가?

캐러멜이 하는 말은 우리 모두에게 이루 말할 수 없이 단내가 났다. 물론 '함정'이라는 생각을 하긴 했지만 이렇게 모인 특정 다수에게는 상관없는지도 모른다.

그는 머리를 열어젖혔다. 이유는 잘 모르겠는데 검은 단발머리가 축축하게 젖어있었고 전신을 덮은 하얀 비단보를 따라 땀이라고 부르기 힘든 점액성 액체가 끈적하게 몇 방울 뚝뚝 흘렀다.

그때, 그의 머리칼이 흐느적거리자 그제야 바람이 불어오는 것을 깨달았다.

풍경에 취해있던 뮬이 더럽고 얼룩진 바깥 창을 연 것이다.

"아아… 좋은 바람이 부는군요." 캐러멜은 그렇게 운을 뗐다. "근거라.. 그런 게 있기나 할까요? 이십 년 전 우리에게 일어난, 불가사의한 일을 누구는 설명할 수 있던가요? 어느 날 아침, 지구 모든 생명체의 얼굴이 하얗게 질려서는 딱딱한 껍질이 부풀어 올라 얼굴을 대신했죠. 음식이 어디로 들어가는지, 저작운동은 어떻게 하는지, 또 어떤 시각 기관으로 사물을 파악하는지 모르겠지만, 생체기능이 정상적으로 작동한다는 게 인류는 그나마 위안으로 여겼습니다. 그보다 심각한 문제는 다른 곳에서 발생했지요. 바로, 유전 문제였습니다. 생물학적 우성집단은 좌절했고, 열등집단은 오히려 환호했습니다. 어… 음. 동물의 짝짓기를 예 들어보죠. 우성 유전의 대물림이 어긋나기 시작하고 점점 나사 빠진 개체들이 절대다수를 차지했어요. 열등과 우성 인자를 구별할 인지 기관이 저하됐기 때문이죠. 여기

창문에 범벅된 새똥만 봐도···. 대체 무슨 생각으로 새들은···. 하.. 인간도 시간문제죠. 가령, 치매 걸린 노인들이 지구를 정복하고 있다고 생각해봅시다. 가슴 아프지만 냉정하게 생각해서 말입니다만.. 망각의 하루가 매일같이 반복돼도 낌새는커녕 문제를 인식하는 것조차 난관일 겁니다. 그리고 우리는 인류 문명의 종착 단계를 기억하는 세대가 되겠죠··· 물론. 이렇듯, 듣기 언짢은 것들을 재미있는 가설로 치부해도 상관없습니다. 실제로는 아직 일어나지 않은 일이긴 하니까요. 우리가 집중해야 할 건 얼굴을 가진 존재··· '벳샤'가 이 방에 있으며 곧 찾아낼 거란 점이죠."

나는 하마터면 웃음을 터트릴 뻔했다.

이젠 하다 하다 벳샤라고? 자기가 허무맹랑한 미신 같은 말을 내뱉고 있는지조차 모르는 건가? 사이비 종교에서나 들을 법한 추상 인물을 들먹이다니. 언젠가 방송에서 다뤘던 이름을 떠올렸다. 분명 과학 칼럼니스트가 '가면의 기원' 이라는 대목만한 간판을 내걸고 자연 과학자들이 가면을 주제로 열렬히 떠들어 대는 걸 짜깁기한 걸 송출한 적이 있었다. 해당 방송에서 말하는 요는

'벳샤' 라는 허구의 존재를 정립하고 이게 다 모두
그의 탓이라며 모든 책임을 전가하는 것뿐이었지만
방송으로 인한 집단 파장은 결코 무시할 수 없는
것이었다. 결론적으로 많은 사람이 믿게 되었으니
어떤 의미로는 심신미약자에겐 정말로 벳샤가
존재하는 셈이다. 그러던 어느 날부턴가 그는 이미
사이비 종교의 신이 되어 입에서 오르내렸다.

　　"무슨 헛소리를 대낮부터 한답니까? 그냥 어서
호소니란 자를 데려오세요. 그자와 직접
얘기하겠소."

　　"그건 안 됩니다."

　　"그렇게 중요한 일이면, 왜 직접 나서지 않는
거죠?"

　　"호소니 씨는 인류의 숙원을 풀어줄 마지막
열쇠입니다. 직접 벳샤를 대면하는 위험을 감수할
수는 없습니다."

　　"누가 그걸 정하는데요?"

　　"그게 중요한가요?"

　　누구는 혀를 찼다. 거의 모두는 잠자코 얘기를
듣고 있긴 했으나, 의자에 묶여있는 캐러멜이
호소니의 대변인이든, 끄나풀이든, 전달책이든,

뭐든. 상관하지 않는 몇몇 인원이 있긴 했다. (다시 생각해보니 그러는 척할 뿐인 가능성도 있다)

그들은 정말 별장에 휴가차 온 셈이고 화려한 꽃무늬 장식이 그려진 반팔 셔츠나, 무지개색 슬리퍼를 질질 끌고 벽난로 옆에서 그에 준하는 휴가풍 차림을 하고 있었다. 게다가 가면을 가로로 고쳐 쓰고 귓등을 덮었을 터다. 나는 이 사실을 상상으로만 그쳐야 했다. 직접 확인할 길은 없다.

간혹 실수로 눈을 흘겼다가 상대와 시선이 닿았을 때, 라디오의 전파가 서로 부대끼는 잡음과 야릇한 최면에 빠져들어 머리가 터져 죽고 싶지 않았다. 나는 유독 붉게 보이는 벽난로 쪽 카펫의 얼룩을 발견했다.

문득, 그런 생각이 들었다.

'우리는 몇 번째인 거지?'

*규칙 1. 같은 종끼리 서로 동시에 '벳샤의 가면'을 응시하면 죽는다

2

댕… 댕.. 댕..

금속의 부드러운 울림이 별장 전체에 울려
퍼졌다. (당연히 스피커 소리겠지만) 열두 번.
어제부터 느꼈지만 이곳에서의 시간은
이상하리만치 빠르게 흘렀다. 구름 한 점 없고,
해는 벌써 드넓은 바다를 완전히 등지고 하늘로
솟구쳐 뜨거운 기염을 토하면서 비좁게 걸린 커튼
위로 청완한 빛깔이 이제는 하얗게 번진
눈부심처럼 먹먹하게 응접실 한 켠을 내리쬤다.

더위에 지친 놈들이 끼룩끼룩거리며 유리창을
두들겼는데, 반들반들 괴랄한 모습으로 구걸해
봤자다. 바로 옆에 있던 뮬이 잽싸게 목덜미를
낚아채더니 그대로 비틀어버렸다. 그걸 밖으로
던져버렸는지 어쨌는지는 모르겠다.

나는 손등으로 가면을 몇 번이나 이유 없이
비볐다. 손톱 따위의 반투명 상피가 가려워 본 적은
없지만, 오늘따라 유독 안면부가 바다에 비친
푸르고 옅은 빛을 사방으로 반사한 탓인지

불편했다. 덕분에 여러 번 턱을 고쳐 잡았다. 누가 나를 주시하고 있는 건가? 휙. 휙. 아니, 그건 아니다..

종소리가 끝나고 캐러멜은 자신이 호소니의 말을 전언하는 것뿐이라며 말을 잇는다.

"인간은 확고한 절망에도 실낱같이 가느다란 희망을 고대하며, 다음 단계로 거듭해 나가는 존재입니다. 그러니까. 어두운 국면을 맞아도 인간의 본성, 또는 설계된 법칙에 따라 빛을 발하게 되어있죠. 그렇기에 인류 존속은 자의적 선택이 아닌 거시적 굴레라 할 수 있습니다. 그 규율에 따라, 결국 우리에게 씌워진 '가면'은 깨지게 되어 있습니다. 호소니 씨는 여러분을 초대해 그걸 앞당기려고 하는 거죠."

"그러니까 캐러멜, 당신의 말은… 우리 중, 얼굴 있는 사람이 필연적으로 있을 수밖에 없다고 뒷받침할 만한 근거가 전혀 없이 추상적으로 들리는데 제가 제대로 이해한 건가요?"

"하하! 그렇습니다. 쉽게 말해서 시장엔 호객꾼이, 식당엔 배고픈 자들이, 아파트 단지 놀이터엔 심심한 아이들이 몰려들 듯, 호소니 씨가 설계한 이 왜곡된 장기판은 너무나 당연히도 얼굴 있는 자가 부합하는 요소들을 적절히 버무려 해놓았습니다. 있으면 있고 없으면 말고. 라는 식이 아니라 시기상 그럴 수밖에 없다는 걸 설명해 드린 겁니다."

'무슨 말이지?'

나는 미간을 찌푸렸다.

캐러멜은 우리를 납득시키기 위해서 부단히 노력했다. 기준에 따라 다르겠지마는 적어도 내 눈에는 땀을 뻘뻘 흘려댔고, 목청이 휘었는지 샌 바람 소리도 드문드문 나왔어서 어제의 마찰만 아니었다면 물이라도 떠다 줬을 텐데, 괜히 얻어맞은 옆구리가 시렸다. 문제는 이상한 단어가 튀어나와 나를 자극했다는 거다. 웃기지도 않아.. 벳샤라니..

광신도들이나 진지하게 받아들일 법한 허구의 인물을 맨입으로 받아들이라고? 더는 들을 가치가 없다고 판단한 나는 자리를 박차고 일어났다. 반나절 시간을 축내서 얻은 게 이 별장이 호소니라는 사람을 받드는 광신도 캠프라는 사실인가?

하! 레이, 나가자.

나는 레이의 손목을 잡았다. 잠자코 있던
마빈도 딱히 뭐라고 하진 않았다. 우리 셋은
묶음으로 파는 과자세트처럼 진열대에서 뒤돌아
멀어지고 있었다. 아리게 귀를 찌르는 비명이
들리기 전까진.

꺄아아아아아!!!!

뭐….뭐야!!!

나는 재빨리 고개를 돌려 방 가운데 덩그러니
있을 미용실 의자와 캐러멜을 향했다. 그리고
참혹한 광경에 입술 끄트머리를 깨물었다.

허… 대체 이게 무슨….!

키우던 개 두 마리가 가면이 터져 죽는 걸 직접
겪은 적은 있었지만, 그때까진 사람 가면이
녹아내리는 걸 본 적은 없었다. 코를 찌르는 듯한
살이 타는 냄새와 탄소를 포함시킨 매캐한 연기가
뭉게뭉게 피어올랐는데, 일부는 캐러멜의 상징적인
검은 단발이 하얀 용암처럼 녹아내린 가면에
뒤섞여 카펫을 더럽혔다.

일찍이 그의 머리를 젖게한 점성 강한 액체가
중력에 의해 물결무늬를 자아내면서 불그락거렸고,

동시에 엄청난 양의 수증기도 거기서 뿜어져
나왔다.

고열을 견디던 단백질 상피가 완전히 분해되자.
곧 모든 시간을 소비한 듯 차갑게 식어버렸다.
티티틱. 티딕. 뮬은 커튼을 잡아 뜯더니 그대로 그
남자를 덮어버렸다.

...

집단 패닉을 겪고도 금방 멀쩡하게 웃을 수
있는 사람은 열 명중 몇이나 될까? 나는 그 답이
절반이라 생각한다. 웃거나 그렇지 않거나. 우리는
두 가지 선택 사항밖에 없다. 분명한 것은 죽음을
유도한 쪽은 지금 멀쩡히 웃고 있을 테다. 나는
현대식 마녀사냥을 보고 웃을 수 없는
쪽이기보다는 웃을 이유가 없다. 그러나 같은
이유로 비명을 지르거나 하지도 않았다.

어떤 면으로는 캐러멜 씨가 집단 린치를
당했다는 일부 동정론이 제기되었다. 나는 그게
얼마 가지 않는 사람들의 가식적 원론이라
생각했고 정말 다음 끼니를 때우자 그 말을 제기한
첫 사람은 아무렇지 않게 그 사람을 동조한

사람들과 중앙 테이블에서 포커를 치며,
시시덕거렸다. 나는 그가 품은 동정이 푼돈 몇
판짜리 포커보다 가여웠다.

레이는 마빈 옆에 딱 달라붙어서 가면을 고쳐
닦았다. 화장을 해봐야 알아볼 사람이 있을 것 같진
않았지만, 자기만족 이란다. 이해가 가지 않았다.

"여기 와서 사람들이 한 거라곤 먹고 자고 싸고.
섹스나 도박 정도라고요. 안 그래 레이?"

레이는 내 눈치를 보며 대답을 미뤘다.
식당에서 마빈은 경양식 돈까스를 주문했고 뒤늦게
별장에 합류한 나를 챙겨주기는커녕, 의뭉스러운
호스트의 끄나풀을 잡아낸 공로로 깔끔한 시선을
받아낸 나를 부러워했다. 나는 적당히 고갯짓으로
받아내면서 종종 그의 한숨이 뒤섞인 말을
경계했다.

"한 씨. 저기 휴가를 즐기려고 온 녀석들
말입니다."

"밤색 슬리퍼요?"

"네, 저 녀석들. 어쩐지 그 일을 겪고서
오줌마려운 강아지 같은 행동을 하고 있잖아요."

"정말 그렇게 보이세요? 옆엔 소주도 놓여
있는데요?"

"그럼요. 그게 흔한 광경도 아니고…. 가엾은
것들."

"보이는 걸 믿진 마세요. 누가 압니까? 저래
봬도 얼굴이 있을지. 그럴 경우엔 우리가 잡아야
해요."

마빈은 내 말에도 일리가 있다며 또
맞장구쳤다. 널따란 접시 위로 나이프가 쓱 쓱 몇
차례 미끄러지자 어슷하게 썰린 마름모의 단면, 세
겹으로 포개어진 고기 살점에서 영롱한 육즙이
흘렀다.

그것을 노리고 있던 포크가 날아들어 그대로
한 점 낚아채 가면의 뒤편으로 밀어 넣었다.

"우리 근데 그 얘기 안 하면 안될까? 부대껴서
아무것도 못 먹겠어."

나는 레이를 위해 물을 가져다줬다. 그래,
아직도 사람들의 아연실색한 가면이 잊히지 않는데
오찬을 즐기기엔 턱없이 입맛이 모자랐을 터다..
(직접 가면을 보았다는 건 아니고 가끔 이렇게 확신에 찬,
그런 뉘앙스가 강하게 느껴지곤 했다)

그때부터 우리를 사방으로 에워싼 여느 테이블 손님처럼 아무 말 없이 저작운동을 했다. 추가로 주문한 감자튀김이 거의 식사가 끝날 때쯤 눈치 없이 나왔어도 웨이트리스를 나무라지 않고 손가락까지 쪽쪽 빨았다.

레이는 피곤하다면서 먼저 방으로 들어갔다. 의자 팔걸이 장식 부분을 만지작거리는 마빈이 어쩐지 안쓰러워 보였다.

"너무 이상해요. 한 씨."

"이상한 게 한둘이 아니라.. 대체 어떤 걸 말씀하시는 거죠?"

"한 씨도 보셨잖아요. 캐러멜의 가면이 녹아내리는 걸요… 의사가 말하길 가면사의[2] 일종이랍니다."

"의사요?"

"아시는 분인 줄 알았는데."

"누구 말입니까?"

"뮬이라는 남자요."

---

[2] 가면 때문에 맞이한 죽음

"아. 그렇게 보이진 않았는데…." 나는 이리저리 주변을 둘러보았다. 뮬은 식당에 나타나지 않았다.

"어쨌든 정말 미스터리한 죽음이었어요. 가면이 자연 파괴되려면 어떤 조건이 충족돼야 하는데 적어도 제가 알기론 그 어느 것도 해당하지 않았어요. 하다못해 응시하는 상대가 있어야 하는데… 어떻게 그게 가능하죠? 무슨 속임수를…"

마빈은 말끝을 흐리면서 내 대답을 기대했다.

하지만 나는 확신 없는 것들을 실밥에 매달아 간 보는 걸 끔찍이 싫어했다. 보는 이도 많았고 듣는 귀도 많았다. 청명하게 부딪히는 식기 소리가 어쩌면 이 대화를 뭉그러뜨릴 수도 있겠지만, 역시 싫었다. 나는 대꾸 아닌 대꾸를 했다.

"저도 아직은 잘 모르겠습니다만, 정말 어쩌면 캐러멜 씨의 말대로 흐리멍덩한 존재가 실재 할지도 모르겠다는 생각이 들었어요."

그 정도로 얼버무리는 게 좋을 것 같았다.

벳샤의 가면…. 혹시 순항 중이던 신의 계획이 틀어진 걸까? 가면이 생기고부터 인간은 저 덜떨어진 갈매기 떼와 같은 쇄도의 길을 걷게

되었다. 한 발짝씩 요원해지는 진화와 담금질은
넋두리 좋은 순례자의 몽상이 되어버렸나? 사실
얼굴이 없다고 해서 불편한 것은 그다지 없다.
편하다. 조금씩 자라는 가면 테두리를 주기적으로
다듬고 겨울철 건조한 공기에 쩍쩍 갈라지는 단백
구조에 영양만 공급해준다면, 공평하게 배급된
외모로 이 공산 세계에 적응하기는 그리 어렵지
않다.

　　단지, 서로 마주하지 못하는 까닭에
평균적으로 고개가 약 $15°$가량 아래로 뒤틀리고
무미건조한 표현에 기쁨이나 슬픔 같은 감정이
가슴 깊게 와 닿지 않는 비극에 빠지고야 말았다.
사랑을 노래하는 새와 낭만을 쫓는 시인들. 감정의
교류로 발생하는 인류애는 구시대의 서사가 되었다.
나는 새도 아니고 시인도 아니었지만, 벌써 저쪽
테라스에서 술에 절어 퍼지른 젊은 녀석들과 같이
이 상태를 즐기고 있는 쪽은 더더욱 아니었다.

　　"… 아무리 그래도 미신은 미신입니다."

　　그래, 나도 마빈의 말에 동감한다. 그는 저녁
즈음 보자며 먼저 자리에서 일어났다.

그가 시야에서 완전히 사라지고 나는 복잡한
심경에 사로잡히면서 또 한참을 그렇게 앉아있었다.
신발 뒷굽으로 천 번은 바닥을 두드렸으니 작은
홈이 패일까 식당 주인은 조마조마 해야 했을지도
모른다. 나는 유일하게 나만 알고 있는 단서가
회심의 미소를 일으켰다.

  엷은 박하 향수를 가면 테두리로 뿌리며 나는
주변을 잠시 살피고 가슴 포켓을 더듬어 수첩을
꺼내 손끝 감각을 곤두세웠다. 좌르르륵… 탁.

  -23 아 00618

  그래, 나는 어젯밤 희뿌연 안개를 뚫고
담벼락에 오줌을 갈긴 녀석만 찾으면 된다.
하다못해 바지에 누렇게 번진 얼룩이라도..

*

"너와 헤어지고 싶지 않아.. 우리 계속 이대로 있을 수 없을까?" 그날 우리는 가볍고 일상적이며 다른 의미로 이색적인 데이트를 하고 난 후. 귀갓길 편의점 앞에서 레이가 뱉은 말이었다. 점심에 먹은 떡볶이가 너무 매웠나? 왜 그런 말을 하는지 모르겠지만, 내 탓인가? 라는 생각에 잠시동안 아무런 대답을 하지 못했다. 그러다 문득 읽을 수 없는 저 가면 뒤에서 왠지 함박웃음을 감추고 있다는 생각이 들었다.

"왜 그런 말을 하는 거야?"

"그냥 해보고 싶었던 말이야. 뭔가 드라마틱하잖아."

"드라마틱?"

나는 레이가 다시 말하길 기다렸다. 그사이 우리가 있는 편의점 건너편 신호등은 깜박거리고, 숫자가 줄어들면서 아이는 아버지의 손을 잡고 잡아당겼다. 가로등이 그 앞을 밝혔고 그들의 보폭이 좁혀질 순간을 고대하며, 나는 무수히 많은 생각을 삼켰다. 레이의 입술이 달싹거린다.

"우리 서로 밋밋한 가면만 맞대고 있으니까 가끔은.. 모든 삶이 의미 없는 것 같다는 생각이 들어. 종종 이렇게라도 너와 나를 긴장케 하는 빤한 말을 뱉어대는 것도, 그걸 알면서도 매번 어쩔 줄 모르는 척 반응하는 너도…."

"그렇지 않아 레이. 우린…." 나는 갑자기 말문이 턱 하고 막혀버렸다. 무슨 말이라도 좋으니 답답한 순간을 모면하기 위해서 뭐라도 해야 하는데 가슴 깊은 곳에서 가시 같은 게 걸려서 어떤 말을 해야 할지 몰랐다. 그새 건너편 거리에 자극적 삼원색이 번갈아 빛을 내다가 붉은 광원이 점멸되었다. 거리를 빗겨간 모든 것은 정지한 채로 우리를 삼켜버렸다.

"역할론 관점에서 우리는 언제든지 대체될 수 있는 거야… 모두의 얼굴이 없어진 것처럼."

"레이… 그건 동의할 수 없어. 누군가 내가 서 있는 자릴 언제나 꿰찰 수 있다고 생각하면 삶이 너무 비루해지잖아. 나는.. 그런 거 싫어."

"바보. 때로는 말야. 좀 더 다양한 곳을 둘러보기 위해서는 쓸쓸하지만 인정해야 할 것들이 있는 거야. 한, 나는 너를, 이 관계를 각별하게 생각해. 그리고 앞으로 지금 상태를 유지하기 위해서 온 힘을 쏟아부을 거야. 하지만 어느 한

쪽이 급작스레 죽거나 떠나도 우리 서로는 그 행위
자체에서 슬픔을 느껴선 안 돼. 왜냐하면.."

　　"다른 누군가로 대체될 수 있어서? 나는 너
이외에 누군갈 생각해 본 적 없어."

　　나는 레이가 하려던 말을 가로챘다. 차마
아리따운 목소리가 날카로운 현실을 긁어대는
것만큼은…… 견딜 수 없을 것만 같았다.

　　"바보. 아니거든?"

　　"그럼?"

　　"지독한 슬픔조차 가면 뒤로 숨기지 않으면
정말 의미가 없는 거잖아. 우리의 만남은..."

*

3

　　다음 날 때 이른 저녁, 나는 적당한 허기로
곯은 배를 물로 채워 반쯤 달랬다. 별장의 후면이
적나라하게 보이는 언덕으로 오다 만난 호두나무
한 그루 밑, 우드득 소리가 났다. 나는 뼈를 반으로

쪼개는 듯한 그 소리가 별장의 은밀한 장소까지
닿기를 기대했다.

이유는 없었다. 그냥, 사람들을 은밀하게
관철하고 있다는 사실이 묘한 감각을 깨웠고 밤
갈색 호두 껍데기 아래 뽀얀 속살이. 실은 수분을
모조리 빼앗기고서 썩어 문드러진 겉과 다를 바
없다는 걸 맨눈으로 확인하는 것도 좋았다.

나는 키 낮은 관목들 사이 수풀에 앉아 어제
점심 이후로 지금까지 벌어진 일들을 곱씹었다.
별다른 일은 없었다. 엊저녁에 보자던 레이는
일찍이 몽유에 접어든 듯했고, 의외로 마빈은
뮬에게 관심을 사서 함께 술을 마시는 모양이었다.
특히 새의 똥오줌이 스카치테이프를 긁은 것처럼
누렇게 번진 3층 테라스에서 그들을 힐끔 보았을
때는, 나는 묘한 소외감을 느끼고 그대로 방으로 가
휴식을 취했다.

오늘 아침 세수. 아침 식사. 일상적인 일을
처리하고 결국 지금 바부노 해안 언덕에 이르렀다.
나는 가면의 어디쯤 담배를 꽂고 불을 붙였다.
따뜻하고 매캐한 공기가 전면에 퍼지면서 몸이
한층 나른해졌다. 나는 해안능선을 따라 시선을

옮겼고 이목을 끄는 작열 불꽃의 주황빛과 노란 광요가 번갈아가는 모습을 지켜봤다.

저 커다란 눈두덩에 뜨거운 곱이 무작위로 껴있는 도깨비의 민낯을 보고 있노라면, 눈살이 저절로 무거워지면서 완연한 감개와 생명을 뒤쫓는 노을은 내게 어떤 사명이라도 부여하는 것만 같았다. 특별함… 그런 기분을 떨쳐내지 못하는 순간이다. 왜 그렇게 많은 작가와 시인이 저 본새를 보고 안달하는지 알 것도 같았다.

삐리리리리. 삐리리리리.

전화?

달칵.

"나요."

"아, 그러지 않아도 연락드리려던 차인데…"

"한. 혹시, 어제도 전화했소?"

"네. 차량 번호 때문에요. 그런데 받지 않으셔서 바쁘시구나 싶었습니다."

"..... 그러셨구나." 수화기 너머로 입 주변을 쓸어내리는 소리가 들렸다.

"무슨 일 있습니까?"

나는 경쾌하지 못한 이 찜찜한 마음이 태양이 지평 아래로 굽은 반 곡면과 완전히 가라앉은 반동으로 깨어난 짙은 안개에 비롯한 것으로 생각하고 싶었다.

"아니, 아니오. 일은 무슨.. 별장에 별일은 없나 확인차 전화했소. 차량 번호는 지금 확인이 어려우니 나중에 확인해 드리리다."

나는 여섯 자리 번호를 말했다.

"그런데 아침에 경찰이 왔었다는데. 무슨.. 일입니까?"

"네?"

"실은 신입이 경찰차를 보고선 경위도 모르고 경찰을 들여보냈다고 해서.. 이쪽은 나름 곤란합니다. 호소니 씨께 무슨 보고를 어떻게 해야 할지.."

나는 캐러멜에게 벌어진 일을 간단히 설명했다. 그런 일이 있었으며, 그래서 응접실로 모였고, 다들 긴가민가하는 와중에 그의 일방적인 주장이 이어진 다음, 별안간 가면이 녹아내리면서 죽어버렸다고. 나는 멀리 떨어져 선명한 죽음의 과정을 아무 말

없이 목도하면서 느낀 에일듯한 두려움은 구태여
설명하지 않았다.

".. 가면사군요."

"저도 그렇게 생각하고 있습니다만, 쉽게
이해가지 않습니다. 가면이 서로 마주할 일은 결코
없었거든요. 그곳에 있던 그 누구도 같이
녹아내리거나 반응하지 않았단 말입니다. 어떻게
그럴 수가 있죠? 보이지도 않는 혀를 깨물고
자살했다는 사람은 들어봤어도 자기 가면을
해코지했다는 건 처음 들었다고요."

"….."

침묵이 내려앉았다.

*규칙 2. 죽지 않은 한, 가면은 물리적으로 파괴할
수 없다

"그것참 이상한 일이군요.."

파수는 무겁고 건조하게 말했다.

"그래서 말인데, 일찍이 별장으로 송부된
캐러멜 씨의 개인정보를 열람할 수 있을까요?"

"흐음…. 캐러멜 씨라.. 확실히 기억나요. 처음 검문소에 도착했을 때, 절차상의 오류로 시간이 지체돼서 기다리는 동안 우리 신입과 내기를 했답니다. 넉살 좋은 양반이었는데.. 그렇지만 당신 부탁을 들어 드리긴 어렵소. 호소니 별장의 규칙이니까. 대신 그와 내기를 했다던 직원 한 명을 내일 그쪽으로 보내겠습니다. 아, 참고로 돈이 오가는 내기는 아니었다오. 그건 장담할 수 있습니다. 최근에 그는 결혼했고 벌써 집에서 바가지를 긁어대니 그럴 만한 여유가 없을 겁니다. 그러니 취조 형식으로 묻지는 마시길."

나는 고맙다고 말하고 얼른 전화를 끊었다. 왠지 그런 느낌이 들었다. 앞으로의 대화가 매끄럽지 않게, 틱틱 끊기는 가스 없는 라이터의 리듬처럼 상대방의 거짓말만 확인하게 되는 실망의 연속이 될 것만 같은.. 아직 파수와 나의 관계는 어떤 진척이 있을 여지를 주고 싶지 않았다. 저 보수적인 파수의 입에서 '벳샤가 정말 있을지도 모른다'라는 말이 튀어나올까 봐… 겁이 났다..

나는 일단 수첩을 꺼내 필요한 질문지를
적어대기 시작했다. 뻔한 얘기겠지만, 어떤 내기를
했느냐. 에서 시작할 터였다..

그날 5 월의 초승이 막 지났다. 달은 깎다 만
손톱처럼 날카로웠고 맹금의 날카로운 포효가
귓가에 메아리칠 때까지 끝내 구급차는 오지
않았다. 넝마가 된 캐러멜의 시신은 별장을
벗어나지 못한 채, 뮬이 사망선고를 내렸다.
마침 별장의 게스트로 온 상여꾼이 그간
어깨너머로 본 것으로 염 비스름하게 짓거릴
하고서 시신의 옷을 갈아입혔다.
고열에 반쯤 타버린 그의 바지춤엔 내가 찾던
노란 얼룩을 기대할 수 없었다. 염하는 과정을 낮에
잠깐 보게 되었는데, 기대만큼 엉성해서 보는 이로
하여금 눈살을 찌푸리게 만들었다. 약품 냄새가
너무 지독해서 당분간 눈을 엷게 뜬 상태로 있던 걸
감안했더라도 그 정도 솜씨는 나도 대강은 가진
담력으로 해결할 수 있었을 것 같았다. 나나, 주변
사람이 그러거나 말거나 상여꾼은 물 묻은
수건으로 차가운 시신을 닦았다.

허벅다리, 발, 손.. 등등 마땅한 순서는 없었다.
다만 의례적으로 가면 쪽은 맨 마지막 순서였다.
가면은 그을린 흑색에서 점차 본연 색을 찾아갔고
냉랭하게 식은 곳을 거쳐 간 흰 수건은 바로 옆에
놓아둔 고무 대야에 하나둘 쌓였다. 캐러멜은
다각으로 뻗친 가면 모양을 가리기 위해 머리를
단발로 기른 듯했다. 눌어붙은 머리칼을 일회용
면도기로 다 밀고나니 속 시원하면서도 깊은 곳이
울렁거리는 기분을 지울 수 없었다.

그건 내가 지금 어둠 속에서 야트막한 언덕에
자리 잡고 수첩을 꺼내 일상을 기록하던
이유이기도 했다. 게다가 그 상여꾼은 말이지…..

부스럭.

천 필을 써내려가던 손을 멈추고 잠시
숨죽였다. 내 뒤를 봐주던 낮은 수풀이 할 일을
잊고 경고를 보내고 있었다. 나는 별장을
내려다보고 있었고, 내 감각이 맞다면 누군가가
나를 지켜보고 있었다. 그런 상황에서 내가 달리할
수 있는 일은 많지 않았다. 거동수상자가 나를
덮치길 기다리면서 혹시 모를 지원군을 기대하는
것이다.

그러나 약 2분간은 정말 아무 일도 일어나지 않았고 나는 찝찝한 안개 늪을 지키는 호두나무를 확인했다. 휙. 그러다 나는 그 너머로 바람에 쓰러져 어둠이 뭉텅이로 모여 합창을 이루는 수풀을 지겹게 응시했다. 그렇게 주변을 점점 까맣게 물들여가는 중에 미세하게 귀뚜라미가 날개를 비비거나 달팽이가 껍질을 파고드는 정도의 소리를 감지했다.

몸을 최대한 낮추고, 질퍽이는 토후를 지나니 숨이 뻥 트이는 평지가 나왔다. 축구경기장 두 배쯤 되는 곳에 달빛이 한데 모이니 아까 봤던 호두나무가 주는 아늑함과 아주 다른 감개에 언뜻 같은 숲이라는 생각이 들지 않았다. 추웠다. 조금 떨어진 곳에 검은 형체가 스산하게 일렁거리면서 나는 눈을 가늘게 떴다. 그 사람은 팔을 가슴 높이까지 올린 채로 정체 모를 무언가와 대치하고 있었다. 고래고래 괴성을 지르는데… 흐음 뭐랄까.. 의미 없는 춤사위 같달까. 한마디로 도무지 미동 없다.

"오샤 씨?"

나는 상대가 놀라지 않게 슬며시 말문을 내밀어 하얗게 언 공기를 조금 적셨다. 아까 낮에 모자를 벗었을 때, 내가 가진 선입견을 미련 없이 뭉그러뜨린. 낭랑하고 투박한 손짓하며, 여러모로 엉성한 폼까지 영락없는 상여꾼이 아닌가? 나는 오솔한 분위기에 휩쓸리지 않기 위해 눈을 몇 번 비볐다. 풀어헤친 긴 머리칼 사이로 얇은 전완이 보였는데, 푸른 핏대가 시퍼런 달빛에 도드라져 반응하고 있었다. 해안에서부터 번진 안개가 발목 밑으로 깔려서 그랬나? 그런데도 달랑 셔츠 하나 입고 팔꿈치 위로 걷어 부친 소매 차림으로 끌밋하게 서 있는 게 어쩐지 강인해 보였다. 그리고 셔츠 밖으로 삐져나온 보라색 브래지어… 나는 달아오른 시선을 어디다 둘지 모른 까닭에 어쩐지 어깨 쪽으로 자꾸만 흘끗거렸다.

"형사님?"

휘잉! 그녀의 가면이 나를 의식하자마자, 어떤 검푸른 그림자가 상여꾼 옆을 교차하면서 하늘로 솟구쳤다.

"은퇴했다니까요." "뭐, 어때요."

"그런데 방금 뭐였죠? 새 같은 게.."

"이런 데서 터 잡고 사는 놈인데 여기도
있네요." "이런 데라뇨?"

"공동묘지잖아요."

나는 주변을 둘러봤다. 멀리서 꽃봉오리라고
생각했던 게 실은 십자 말뚝이었고 엇비슷한
모양들이 일정한 간격을 두고 바둑판처럼 즐비했다.
나는 눈을 끔뻑거렸다. 피곤했던 탓일까? 이상하군.
전혀 알아채지 못했다.

"쥐나 두더지 같은 게 많아서 식량창고나
다름없거든요."

그녀는 그렇게 덧붙였다.

이미 달을 향해 점으로 바뀌는 비행체는 뭐가
되었든 담청색 하늘에 뭇별이 떨어질 듯 걸려있는
은하를 향해 보탬이 되고자 비행했으며, 숨이 멎을
듯 고요한 비상은 가면의 날카로운 인상만
풍겨댔다. 뭐였을까? 나는 잠시 밤 자락의 끝으로
퇴장하는 비행체를 바라보았다.

"이런 곳에 왜 공동묘지가 있는 걸까요?"

해안 절벽 부근, 불특정 집단의 묫자리가 있는
게 나로선 쉽사리 납득이 되지 않았다. 혹시
상여꾼은 알려나 싶었는데.

"그건 저도 모르죠. 돈 많은 부자의 은밀한 취미, 혹은 가족묘 일지도요."

왜 그녀가 그렇게 두 가지로 단정 지었는지는 당시로서는 알 길이 없었다. 나 역시 불필요하게 느껴진 탓에 더 캐묻지 않았다. 대신 뜬금없는 오샤의 질문이 나를 후벼 팠다.

"근데 당신.. 잠은 좀 자요?"

4

어린 시절 나는 술래잡기를 좋아했다. 술래는
언제나 나였다. 나는 찾는 걸 좋아했고 또래
아이들은 숨거나, 뭘 숨기거나, 들키거나, 그렇게
감정을 간질이고, 이 놀이를 짓궂게 이어서
뉘엿뉘엿 노을까지 안달 나게 만드는 걸 즐겼다.

나는 홀로 찾고, 시간은 나를 쫓고, 수풀에
웅크려 더위에 쪄 죽은 개미를 밟으며 비죽 내민
레이의 샌들을 모른척해도 괜찮았다. 우린 모두
얼굴을 가지고 있었으니까. 술래잡기가 끝날 즈음,
때늦은 햇빛을 머금어 만개하는 꽃들의 화답처럼
레이의 미소는 지금도 여전히 서글픈 내 마음의
비수를 녹였다.

나는 방으로 들어서자마자 곧바로 침대에
대자로 뻗어버렸다. 아득해지는 정신, 감기는 눈,
숙연해지는 머리카락.. 그러나 잠이 들진 않았다.
오늘을 모두 미몽의 저편으로 부치려 하였으나
소용없는 짓이었다. 결국 나는 응접실에 널브러져
있던 맥빠진 소주를 가지고 와서 병째로 들이켰다.

4 시 47 분. 시간…. 좀처럼 나를 기다려주지
않는 시간과 침대와 전부터 들리는 차량 시동

소리와 아무도 없는 복도의 숨소리.. 뭐지? 갑자기 가슴이 답답한 듯 깊은 폐부로부터 바깥을 향해 송곳으로 콕콕 찌르듯이 아려왔다. 반복되는 고통에 제발 멈추어달라고 온몸으로 호소했다.

거… 거울! 하아. 하아. 나는 거친 숨을 내뱉고 벽을 짚으며 화장실로 간신히 들어갔다.

"무슨 일이야 한?"

레이가 뒤따라 들어왔다.

"레이! 레이!... 우리 얼굴이..!" 그녀는 차가운 시선으로 나를 내려다보다가 아무 감정 없이 더욱 하얗게 질린 내 가면을 응시하다. 짙은 갈색 눈동자를 찾다. 끝내 등 돌렸다. 바닥과 벽에 바둑판으로 깔린 사각 타일은 차갑게, 더 차갑게 무릎과 가면을 맞대고서 배수구 쪽으로 내가 토사한 찌꺼기를 흘려보냈다.

정신을 차렸을 때, 왜인지 모르겠지만 나는 막 태어난 나귀처럼 팔다리를 불편하게 웅크려서는 매끄러운 욕조의 반을 차지하고 있었다. 아. 또 그 꿈.

젠장.

피로에 찌든 상체는 세면대를 지지 삼아 겨우 거울 앞에 섰다. 또 한 번 나신으로 빛에 반사되는 내 모습을 좌우로 면밀히 살펴보니 오늘따라 낯설다. 어릴 적 얼굴을 떠올리려 해 보았지만, 헛수고였다. 케라틴질 거죽에서 석회 방울이 세포 입자들 사이에서 오밀조밀하게 돋아 그대로 굳어서 간밤에 조금 두터워진 듯했다. 평소처럼 머리가 앞으로 쏠렸고 나는 그럴 때마다 지금처럼 곧잘 앞으로 기울여 반사광에 기댔다.

벌써..

스윽. 스윽. 왼손으론 가면의 아래턱 부근을 남 일처럼 잡아 고정한 뒤 오른뺨부터 면도를 했다. 나무판자를 대패질하듯 슥슥 깎아냈다. 누렇게 뜬 껍질이 돌돌 말렸고 하나둘 꽃잎처럼 떨어졌다. 그걸 모두는 가벼운 세안이라고 했다.

말끔해진 가면, 날카로운 곡면도 부드러운 양털의 한숨을 머금은 것처럼 산뜻하고 폭신하다. 그런데… 그런데.. 왜 이렇게 오늘따라 낯빛이 어두워 보이는 걸까?

"한!"

식당에서 레이는 먼저 나를 알아보고 반갑게 손을 흔들었다. 그녀 옆을 지켜 선 마빈도 가볍게 끄덕였다. 잠시 따로 앉을까 생각도 했지만 그게 더 이상할 것 같아서 묘한 불편함을 감수하고 함께 식사했다.

식사로는 특별한 경우가 아니고서는 대부분 뷔페식으로 운영되었는데, 사실 웨이트리스라는 말이 그냥 갖다 붙인 말인 걸 알고는 있었지만 A 열이나 B 열 혹은 숫자가 음식 앞쪽 벽면에 매겨져 있었다가 떼어낸 자국을 확인하고부터는 왠지 값싼 단어 같아서 입에 잘 달라붙지 못했다. 게다가 별장에 뷔페가 있다는 것도 처음엔 놀림거리라고 생각했는데 돌아서면 배가 고파지는 이곳 특유의 성질과 내가 가진 비효율적인 에너지 소비 대사는 어느 정도 이런 식당 시스템과 주방에 회의적이었던 생각을 정반대로 뒤집어 놓았다.

정도의 차이는 있겠으나 대부분의 초대 객들은 군이 말하지 않아도 그렇게 생각했을 것이다. 하기야. 주방 입장에서 한쪽에서는 콜라를 내오라 하고 또 다른 쪽은 오렌지 주스만 고집한다면 메인 요리가 어떻든 그게 또 손님 기억에 남아서 곤란할

것이다. 어쨌든 음료 얘기와 별개로 고기가 질겨서
나중에 이를 쑤셔야만 했다.

"이거 무슨 고기죠? 특이하네요."

나는 지적이라 생각하고 말한 걸 주방
너머에서는 쑥스러운 듯 머리를 긁적이며 오늘
아침 해상로로 들여온 고기라고만 대답했다.
말귀가 어둡나? 유독 그날 바닷가는 잠잠했다.
점심 끼니를 해결하고 레이는 나를 은밀히 바부노
숲으로 불러다가 가벼운 산책을 했다.

"무슨 일이야?" 나는 마빈이 함께 동행하지
않음이 때로 불편해서 물은 것이다.

"생각해봤는데. 아무래도 아닌 것 같아."

"뭐가?"

그녀는 조금 전 지나친 호두나무와 어젯밤
묘지 사이쯤 수풀에서 잠시 머뭇거리더니 내
눈치를 살폈다. 버릇처럼 손톱을 딱딱 깨물면서
반대 손으로는 목 주변을 쓰다듬는다. 버릇. 나는
레이의 작은 행동을 유의했다. 아무것도 아니면서
사소한 신호가 끝남과 동시에 입이 떨어지게끔
하는 필수불가결한 것들.

"오해하지 말고 들어.. 어제 내가 생각을 많이 해봤는데 말야."

"혹시, 레이. 어제 내 방에 왔었어?" 내가 다짜고짜 물었다.

"응? 그게 무슨 말이야?"

"방이 조금 어질러져 있어서. 가령 펜을 서랍 밖에 두었는데 안에서 발견했다든지, 테이블 배치가 조금 뒤틀려있다든지, 그래서 말이야."

"뭐? 진심이야? 나 약간 섭섭해지려고 해. 우리 사이는 그런 게 아니잖아.."

"잠깐 레이. 그런 뜻으로 말한 게 아니야. 그냥 분명 꿈이었는데 너무 생생해서." 레이의 뜨거운 시선이 느껴졌다. 곧바로 그녀는 내 손을 낚아챈 다음 어디론가 이끌었다.

"걷다 보면 괜찮을 거야. 요즘 네가 너무 많이 지쳐 보였는데 잘됐어. 차라리 아무 말 하지 않는 게 위험하대."

"누가 그런 말을 했는데?"

"뮬 씨. 알고 보니 정신과 의사더라고. 이것도 인연이라며, 필요하다면 이런저런 상담도 해주시겠대."

"으음.. 그래?"

"혹시 너무 힘들면 말해. 상담 정도는 괜찮잖아. 그렇지?"

오히려 레이는 나를 위로했다. 그녀는 무슨 말을 하려 했던 걸까?

가끔 밝은 면모 뒤에 가려진 레이의 비애를 가늠하기 어려울 때가 있다. 지금처럼. 억지스러운 미소와 빠르게 펌프질하는 손. 어디로 보나 레이는 이곳에 온 뒤로 나보다 더 불안해했다. 나는 사양의 뜻으로 고개를 절레절레 저은 뒤, 따뜻하게 상기된 손에 힘주었다. 한 줌 응원이 되길 바라면서.

"오랜만에 너랑 산책하니까 좋다. 마빈은 식사나 화장실 외에 꼭 필요한 일이 아니면 좀처럼 움직이는 경우가 없거든. 내가 이리저리 돌아다니는 걸 못마땅하게 여기는 것 같아. 왜 그런 심리 있잖아. 가까운 사람을 자신과 동일시하는 마음 말이야."

"그걸 어떻게 알아?"

"보면 알지. 그 사람의 행동, 반응, 가면을 기울이는 방향, 각도, 등등. 말야. 근데 마빈 본인도 그럴 말 할 자격이 없는 걸 알아서 그다지 나무라진 않아. 마빈은 부지런하긴 한데, 뭐랄까.
한정적이랄까? 모든 일에 공평하지는 않거든."

　"그렇구나."

　나는 그렇게 대답했고 레이는 계속해서
조잘거렸다. 골치 아픈 일에서 우리는 점점 거리를
벌리고 있었다. 다소 뻔한 얘기부터 풀벌레 소리,
묘한 땅의 진동, 바람의 방향, 별장의 뻔한 식사
메뉴까지, 레이는 특유의 경쾌한 발걸음과 의문형
혼잣말을 뒤섞으며 대답이 필요없는 라디오 그
자체였다. 나는 음량을 줄여서 살벌한 절벽과
부딪혀 거품으로 사라지는 파도의 황망함에 좀 더
집중하고 싶은 적도 있었다. 해안 절벽을 따라 점점
가팔라지는 오르막이 우리 둘의 호흡을 거칠게,
때로는 바람과 한 발 떨어져 지치게 만들었다.

　"레이. 바람이 점점 거세지는데. 이만
돌아가자."

　"……"

　"레이?"

　"……"

　그녀는 만경창파 저편의 먹색 구름 떼가
하늘에 들러붙은 곳을 지긋하게 바라보고 있었다.

흐리멍덩한 코발트색 바다 가운데 빛줄기가
차련하게 내려앉더니, 그곳에 첨벙거리는 많은
괴가면들이 일광을 받고자 허옇게 떠서는 푸른
등줄기를 뽐내고 있었다. 잠시 후 동편으로 솟구친
물줄기가 어둠을 뚫고 내리쬐는 빛을 향해
비산했고 무지개와 함께 거대한 아래턱이 돋보이는
괴가면의 어느 점으로 변기처럼 모두 빨려
들어갔다. 달그락. 달그락. 캐스터네츠 부딪히는
비스무리한 소리가 바부노 해안까지 들렸다. 나도
모르게 옅은 탄식이 새어나오면서 우리 둘 곁을
맴돌던 오묘한 분위기가 그만 깨졌다.

　　"한, 내가 아슬아슬하게 절벽 아래로 떨어질 것
같으면 잡아 줄 거야?"

　　"당연한 걸 묻고 그래. 마빈이랑 무슨 일
있어?"

　　"당연해도 가끔은 듣고 싶은 말이 있는
법이야."

　　"알아. 하지만 마빈은…"

　　"마빈은 괜찮아. 너의 반 정도지만 언제나
격려되는걸." 레이는 애써 웃었다.

".. 실은 나 좀 무서워. 이곳이 어떻게 돌아가는지도 모르겠고 사람들의 눈초리 하며, 다들 알게 모르게 서로 뒤를 캐고 다닌단 말이야. 내가 뭘 하고 있을 때나 하고 있지 않을 때, 감시당하는 기분을 지울 수가 없어. 엊그제 그 일을 겪고도 아무렇지 않게 지내는 사람들이 이해가 가질 않아. 다들 사이코패스 같은 인격장애라도 있는 걸까? 혹시 얼굴을 잃어버리면서 뭔가 결여된 건 아닐까? 너도 그렇고, 마빈도 그렇고⋯ 나만 이렇게 동떨어져서는⋯"

그녀는 가면 어디쯤에서 눈물이 송골송골 맺히더니 곧 바닥으로 떨어뜨렸다. 물론, 인간의 가면에는 구멍은 없다. 그런데도 물이 새어나온다. 자연스럽게 나는 손등으로 레이의 불특정 안면부를 가볍게 쓸었다. 내가 할 수 있는 일은 그게 고작이었다.

나는 마음에도 없는 말을 뱉으며 위로할 정도로 파렴치한은 아니다. 레이도 그런 건 바라지 않았다. 우리는 서로 잘 안다. 내 악몽을 산책으로 보듬어 주듯, 레이는 나를 환기해주는 뮤즈다. 그러나 나는 반대의 경우를 단 한 번도 물어보질

않았다. 구차한 일로 비치는 게 끔찍이도
싫었으니까.

5

　별장으로 돌아오는 길에 커튼이 열리고 닫히고,
깨진 접시 같은 것들이 떼로 공중에서 똥을 뿌리고.
그런 반복적인 풍경에 넌더리가 났다. 또, 숲에서
총소리가 들렸으나 우리는 별 대수롭지 않게
별장으로 내려가는 비탈길로 접어들면서
자연스럽게 손을 놓았다. '사냥꾼이겠지.' 레이는
약간 긴장한 투로 힐끔힐끔 얼어버린 내 발치를 몇
번 보고는 들어갈 듯 말 듯 떨어지지 않는 땅을
향해 푹 숙였다.

　"레이 걱정 마. 아무 일 없을 거야."

　"그런 말로는 부족해. 나를 좀 더 안심시켜줄
순 없을까?"

　"알잖아. 이제 그럴 수 없다는 걸."

　우리는 서로 손을 흔들었다. 오래전 감정을
다시 불러일으키기라도 하듯이..

별장이 그녀를 삼키고 잠깐 숨을 돌리고 있는 사이, 창졸간 미지가 쏘아대는 기운에 소름이 돋았다. 한나절 내 정신은 온전했고 술기운도 모두 가셨다. 아니, 오히려 그래서 그랬던 건가? 나는 의지할 수 있는 게 마땅히 없다는 걸 깨닫고는 무작정 저릿한 느낌이 드는 바닷가 쪽으로 갔다. 별모양 방파제가 뒤엉킨 자태로 나를 유혹하자 나는 넌지시 시선을 뻗어 화답했다.

아름답다. 석양이 벌써 내 눈과 수평을 맞추어 조금씩 빛을 잃어가면서 날 부른 걸까? 별다른 소득 없이 파도와 곶의 묘한 오케스트라에 집중했다. 바다의 짠 내가 지겨워 등 돌릴 즈음 때마침 불러세우듯 1미터가 훌쩍 넘는 거대 그림자가 별장 구들장을 덮치더니, 난잡하고 질 낮은 어둠과 실랑이를 벌여서는 외마디 기세가 한순간 꺾어버렸다. 깃털?

찍. 찍…

쾅쾅쾅!
아침부터 웬…

갈라지는 목소리로 말했다. 누구세요?

별장 파수꾼입니다. 아, 신참이라고 했던…
열려있습니다. 들어오세요. 끼이익.

나는 바지를 주섬주섬 챙겨 입었다. 현관에서
아직도 머뭇거리는 파수를 위해 손을 내밀었다.
그의 가면에는 특징이랄 것이 없었다. 언뜻 봤을 때
밋밋한 달걀의 반쪽을 덮어 놓은 모양으로 이마
쪽으로 갈수록 쭈뼛 신경이 곤두서 보였다.

실력 있는 가면 감별사는 가면 형태만 봐도 그
사람의 성격을 유추할 수 있다고 한다. 다듬는 습관,
모양새 등등이 어느 정도 주인의 고유한 성격을
대변하는 요소로 자리 잡은 듯한 모양이다. 조금 더
나아가면 예언이나 사이비 종교로 변질하기도
하지만 다행인 건 이 별장에 감별사는 없다.
그런데… 왜지? 벳샤를 잡고 싶어 하는 사람이
감별사를 초대하지 않다니.

나는 그 부분에 집중될 수밖에 없었다. 최근
감별사의 숫자가 급격히 줄어들고 있다는 뉴스가
연일 이어지고는 있었지만 그것과 호소니라는
사람의 연관점은 없었다. 너무 과한 생각일까?

"여기 좀 앉겠습니다."

검고 끌밋한 바지가 허리 약간 위에 걸쳐서는 소파를 파고들었다. 네 번째 손가락에 걸린 결혼반지가 유독 눈에 들었다. 뻔한 다이아몬드? 젊은 파수는 가지고 온 엽총을 바닥에 내려놓았다.

"오는 길에 사냥이라도 하셨나 보죠?"

"일 년전 전부터 노리고 있는 녀석이 있는데, 드디어 빗맞혔거든요. 그놈 핏자국이 어딘가에 선명히 있을 겁니다. 실은 어젯밤 도착했는데, 늦은 방문도 좀 그렇고 차에서 자는 게 편해서 이렇게 이른 아침 불쑥 찾아뵈었습니다. 여긴 남는 게 시간이잖아요."

"이곳 특징이랄까…. 뭔가 좀 상징적인 동물들이 많은 것 같아요."

나는 파수의 말에 가볍게 응수했다.

"글쎄요. 제가 보기엔 전부 일반적인 동물들뿐이던데요. 갈매기, 소라게, 불가사리, 거북손, 들쥐, 멧돼지, 고라니 같은 것들 말이죠. 괴이한 가면을 쓰고 있는 것만 빼면은…"

그는 그렇게 단정하는 듯했다. 흐음… 어젯밤 내가 본 동물만큼은 정말.. 정말 생경한 느낌이었는데..

"그게 뭐죠?"

아쉽게 흘린 말에 그의 눈이 반짝거렸다. 나는 아침잠을 멀리하고 할 수 없이 침대 모퉁이에 걸터앉아 베개를 오므려 껴안고, 마치 이야기를 보채는 아이처럼 자세를 취했다. 언뜻 본 파수의 엽총이 들썩거리는 착각마저 들었다.

"하지만 그 전에… 캐러멜 씨와 당신이 내기를 했다던데, 그 내용을 들을 수 있습니까?"

내 이야기를 마중 나온 파수의 가면이 도로 오목하게 들어가는 순간이었다. 그는 김이 샜다는 몸짓으로 무릎을 탁! 치고는 말했다.

"내가 먼저 얘기를 하든 당신이 먼저 얘기를 하든 상관없어요. 어차피 해야 할 얘기이고, 흘러갈 시간이며, 해가 지려면 한창 남았으니 말입니다. 그래도 실례가 안 된다면, 제 인내심이 당신보다 부족한 것 같으니 먼저 얘기해 줄 수 있겠습니까? 왠지 그런 느낌이 들었거든요."

"…그러죠."

파수의 옆구리에 엽총이 없었다면 하다못해 신발장에 두고 왔더라면 이 상황의 순서가 조금은 달랐을까? 아무려면 어때.

"어제 초저녁, 레이를 별장에 데려다 주고…"

"레이?"

"아, 레이는 제 오랜 소꿉친구입니다. 이곳 별장에 함께 초대됐죠."

"그렇군요. 그런데 당신도 객실을 이용하면서 어째서 '데려다 준다'고 말하죠?"

"… 그건 저도 잘 모르겠습니다. 이상하게 별장에 정이 안 붙는 것 같기도 하고, 어쩌면 이곳이 객실이라고 느껴지지 않아서 일지도 모르겠습니다. 물론 훌륭한 소파와 일반적인 침구류가 구비되어 있지만, 가솔린차에 휘발유를 넣은 기분이랄까요? 별장의 목적이 마음을 편안하게 만들기에 부합하지 않는다고 느껴지긴 하거든요."

"음… 왠지 알 것 같군요."

나는 파수의 예리함에 흠칫 놀라면서도 계속 이야기를 이어가야 할 의무를 잊지 않고 입방정을 떨었다. 계속하겠습니다. 그러시죠.

"레이가 별장에 들어서자마자 주변의 풍광이 어둑해지기 시작했습니다. 내가 그곳에 몇 시간씩 서 있던 걸 은유적으로 표현한 게 아니라 정말

삽시간에 벌어진 일이었습니다. 그런데 갑자기 온몸에 소름이 돋으면서, 안구 뒤쪽이 켕기는 그런 기운이 느껴졌습니다. 해안 쪽 방향을 두고 말이죠. 그곳으로 가보니 무슨 상관이냐는 듯 벌써 잊고 아름다운 해안 능선을 보고 있었는데 1m 가 족히 넘는 거대 비행체가 제 뒤로 날아들었습니다. 마치 검은 고양이 등에 날개를 달아놓으면 그런 섬뜩함과 기민함을 동시에 풍길 수도 있겠구나 싶었습니다. 너무 은밀하고 고요해서 착륙 직전 날갯짓조차 내 귀가 잠깐 먹었나 싶을 정도로 고요했고 사뿐했습니다. 그리고…. 그게 이상하다면 조금 이상했습니다."

"어떤 점이…?"

"분명 그건 방금 막 도착한 걸 텐데, 그 전에 저를 그곳으로 이끌었던 묘한 기운이 비행체와 순서를 달리해서 저를 부른 점 말입니다. 바꿔말해 주체와 객체가 어긋난 것 같았어요."

"혹시 전에도 그런 걸 느껴본 적 있습니까?"

"아니요."

어쩌면 무례하다면 할 수 있는 질문에도 나는 충분히 생각한 뒤에 정성껏 대답했다. 그렇지

않고서는 기이한 리듬으로 벌어지는 사건을
자각하는 것조차 불가능할 것이다.

"그놈은 맹위를 떨치면서 사냥감을 정확하게
낚아채 목을 비틀어버렸습니다. 그때까지만 해도
흐릿한 형체로 보이던 놈이, 달빛이 차오르면서
한껏 고조된 모습을 드러냈죠. 흑갈색 몸통 위로
깨를 뿌려놓은 듯, 흰 반점이 배 쪽으로 옮겨가면서
설산의 눈발처럼 모조리 하얗게 덮어버렸고 날개
끝의 푸른 형광의 띠가 가느다란 사슬 무늬로
어깻죽지까지 이어져 있었습니다. 또 다리는
얼마나 길던지 회색 발과 서늘한 발톱을 보지
못했다면 네 살배기 아이가 보행하는 줄 알았을
겁니다.

비릿한 피 냄새가 짠 내와 섞여 오더니, 처음엔
파가 놈의 발톱에 짓이겨버린 동물의 것인 줄
알았는데. 다시 비상하는 순간을 보니 한쪽 날개를
절더군요. 그때 알았습니다. 혹시… 찾는
놈입니까?"

나는 잠깐 뜸을 들이면서 파수의 반응을
살폈다. 손등에 핏대가 퍼렇게 서서는 심장의

고동이 꿈틀대는 게 눈으로 보일 정도라 약간 숨을
골라냈다.

"사냥을 하고 곧바로 가던가요?"

그는 미세하게 떨리는 목소리로 물었다.

"네?"

"그게 전부였냐는 말입니다."

".....네."

그날 저녁까지 뻔하디뻔한 푸념을 서로
늘어놓다가 젊은 파수가 호소니의 전달책인
캐러멜과 했다던 내기를 어렴풋이 듣다가, 돌연
그는 서슬 퍼런 맹금의 울음소리를 듣고 별장을
나가 숲을 향하기로 했다.

"쥐를 잡아주니 좋은 일 아닌가요? 장티푸스
같은 것도 걱정할 필요 없고." 나는 새 쪽을
옹호했다.

"음.. 글쎄요. 그냥 마음에 들지 않아서요."
그는 그런 타입이었다. 내키는 대로 무얼 선택하고
본능을 억제할 수 없는 생명체의 늪에서
허우적대는. 그래서 아마 캐러멜과 내기를 했던
모양이겠거니 싶었다.

"내일 또 오겠습니다."

커튼 사이로 멀어지는 검은 세단을 보며 나는 다시 생각에 잠겼다. 실은 파수에게 차마 내가 조우했던 맹금이 270도 꺾은 고개로 섬뜩한 표정으로 나를 뚫어져라 쳐다보았다고는 말하지 못했다. 아무리 어슴푸레한 날씨 탓이라도 놈의 가면에서 안광을 엿봤다는 얘길 누가 믿어줄까? 가면에서 광선이 나오다니.. 직접 겪은 나도 허무맹랑했다. 심지어는 그 안광이 처음 나를 향했을 때는 원심의 형태가 나를 압도했는데, 녀석과 미묘한 줄다리기 후에 가늘어지더니 반달의 모양을 했다고는….

나조차도 납득할 수 없는 일이었다. 나는 급격하게 피로를 느꼈다. 침대에 널브러져 며칠간 미루어왔던 일을 해결하고자 눈도 감고 속으로 울타리를 넘는 양도 세었다. 하지만 결코 잠이 드는 법은 없었다.

결국은 퀭한 눈으로 탁자 앞에 앉아 책이나 읽으며 새벽을 지샜다.

다음 날 아침 식당에서 나는 파수의 눈치를 살폈다. 괜히 침잠한 분위기를 보아하니 밤새

사냥은 실패로 그쳤던 모양이었다. 그는 피로에
젖은 가면을 테이블 가까이 추욱 늘어뜨리면서
거의 어거지로 애꿎은 달걀 요리를 노려보며
깨작거렸다. 나는 주방장이 이 모습을 보지 않아
다행이라 생각했다.

"잠을 못 잤어요."

"아, 예." 나는 짧게 대답했다. 그때까지만 해도
내게는 그런 문제가 별 대수롭지 않게 벌어진
일이라 피곤하기도 했고 달래줄 생각이 들지
않았다.

"식당에서 할 얘기는 아니지만 앉은 김에마저
얘기해 줄 수 있으세요?" 파수는 잠시 생각하더니
우물거리는 턱을 뚝 그치고 무엇을 회상하는 듯
사선으로 가면을 치켜올렸다.

"아무리 생각해도 이해가 되지 않아요.
날갯죽지 부근에서 피를 흘리고 있었는데….
어떻게 보란 듯이…"

"아뇨, 아뇨. 내기 내용 말입니다."

날카로운 시선이 느껴져서 나는 곧바로 머리를
숙였다. 서로의 의식이 겹쳐지지 않게 가면이
가면끼리 부딪히지 않도록. 하지만 어째선지 그는

내 배려에도 따가운 눈길을 거두지 않았다. 나는 그 기묘한 새가 죽지 않았으면 했다.

"…. 그러죠 뭐. 내기는 별거 없었습니다. 사람이 몇 명 정도 오고, 나이는 어떻고, 남자일지 여자일지. 같은 시답잖은 내용이었어요. 맹세코 돈을 걸고 하지는 않았어요."

"그럼 뭘?"

"아끼는 물건을 걸었죠. 그는 차를 걸었고 저는 이 반지를 걸고.."

"반지?"

나는 그의 약지에 건재한 얇은 금속 띠를 의식했다.

"아, 상징적인 의미는 없었습니다. 그냥 물건. 물건이었다고요. 역겨운 생각은 하지 말아주시길."

나는 이 대목에서 기분이 약간 상했다. 그러고 보니 차가 있었지? 캐러멜 씨가 살아있을 때 받은 모양이군.

"…. 그런데 조금 이상하네요. 호소니의 전달책인 캐러멜 씨가 그것 하나 몰라서 내기에서 졌다는 게…"

"….."

식사 후, 파수는 시신을 확인하기 위해 지하 냉동창고로 향했다. 형식적으로 오샤가 동행했으며, 웨이트리스가 천장 고랑에 걸려있는 고기를 조금 썰어서 가지고 돌아갔다. 그녀는 마치 대형마트에서나 볼법한 쇼핑카트를 끌었고, 그걸 보면서 침을 삼켰다. 죽음과 생존 욕구가 공존하는 네온 빛 공간과 날 선 정육점 주인의 푸념.. 기분이 묘했다.

캐러멜의 시신은 그의 관구와 함께 창고 맨 구석, 냉동 장치 바로 턱밑에서 서리를 내리 맞으며 공손히 우리를 기다렸다. 육중한 뚜껑을 뜯고 양손을 가지런히 모은 채, 알아볼 수 없을 정도로 흐트러진 가면의 형체를 마주하자 파수는 속이 메슥거린다고 말했다.

"이런.."

오샤가 옆에 있던 양동이를 슬쩍 이리로 밀자 기다렸다는 듯이 토사물을 쏟아냈다. 우욱⋯. 웨에엑.

"오샤 씨. 이전에 누가 왔었나요? 양동이에 슬쩍 얼려있는 찌꺼기가 보이는데요?"

"어제 레이 씨가 잠깐 왔다 갔는데 모르셨나
봐요."

레이가? 왜…? 따가운 산성 냄새가 코를
찔렀다. 나는 안면부의 후각기관을 담당할 것으로
예상되는 중앙 부근을 이리저리 막아보았지만
뚜렷한 성과는 없었다. 그저 끔찍한 냄새가 냉기와
엉켜서 얼어버릴 때까지 기다릴 수밖에. 우리는
파수의 상스러운 행위를 관람하고 곧바로
빠져나왔다. 오샤는 화려한 퍼포먼스를 보여준
그에게 손수건을 내밀었다.

"고마워요."

"그래서 좀 어떻습니까?" 내가 물었다.

"어떻고 할 게 없군요. 연고자가 없다고
하셨지요?"

"예. 아마 내일쯤 관례에 따라 수장할
예정입니다."

"그렇군요.. 일단은 별장 직원들에게 전해
두겠습니다. 살인 사건은 분명 아니라고요."

그렇게 말하고서 파수는 파랗게 질려버린
자신의 가면을 부여잡고 서둘러 별장을 빠져나갔다.
한 손으로는 주머니 속 차 키를 뒤적거리며 팔과

다리의 엇박자에 이상한 춤을 선보이자 괜히
나까지 이상한 리듬 따라 말을 더듬거렸다.

"자.. 잠시만!"

나는 정문 앞, 몇 칸짜리 계단 앞에서 그를
불러세웠다.

"왜 갑자기 서두르시는 거죠? 분명
점심까지는… 괜찮으시다고.."

그는 익숙한 검은 세단 옆에 서서 문고리를
잡았고 땅으로 떨어진 시선을 가까스로 한쪽에
고정한 채 버티는 것 같았다. 차량 번호는…. 순간
내 반응이 싸늘하게 식었다.

"정말… 벳샤가 있는지도 모르겠다는 생각이
들었습니다. 그러니까 말이죠. 저는 죽고 싶지
않아요. 이제 막 결혼식을 올렸고 집에 들어가면
아내는 곧 태어날 아기 생각에 항상 들떠있죠. 제가
사냥을 취미로 둔 것도, 사람들이 저를 얕잡아 보지
않기 위함이었어요. 왜 그런 거 있잖아요.

남들은 신경 쓰지도 않는 일을 혼자 심각하게
여겨서는 역할 놀이에 빠진다거나… 솔직히 말해
제 기저에 깔려있는 열등 성질을 산탄총을 메고
다니면서 억지로 욱여넣고 있던 거예요. 냉동

창고에 있는 시신을 직접 보니 알겠어요. 제가 이 일에 적합하지 않다는 걸… 다만, 얼마든지 제가 할 수 있는 선에서는 도와줄게요. 한 씨. 하지만 다른 용무는… 알아서들 하시길.."

그는 그렇게 말하고 이곳을 떠나버렸다. 나는 휴대전화에 저장된 다른 파수에게 전화를 걸어보려 했으나 얻을 것도 적당히 얻어낸 데다 그놈이 그놈이지 싶었던 터라 무슨 의미가 있겠나 싶었다. 찝찝했던 차 주인이라든지, 고용인들의 역할 같은 것들..

그때쯤 오샤가 내 뒤를 따라와서 쳐다보기에 나는 '떠났습니다'라고만 말했다.

"이상하네요."

"왜 그러시죠?" 내 딱딱한 가면은 의아한 기울기 정도로 기울어졌다.

"저 사람, 아까 거기서 일부러 속을 게워냈어요. 많이 봐서 알거든요. 문 하나 사이를 두고 현실과의 괴리를 마주했을 때, 생경한 모습과 제각각의 반응.. 작위적인 몸짓이라든지.."

"그렇군요."

이유는 잘 모르겠지만 나 역시 그녀와 같은
기분을 지울 수 없었다. 왜 파수는 시키지도 않은
일을.. 되레 의심받을 일을… 양동이에 자신의
흔적을.. 그때, 어떤 기막힌 발상이 번개처럼
머리를 스쳐 지나갔다.

'그래.. 벳샤는.. 별장에 있다고 했어. 물론
호소니라는 자의 말을 100% 믿는 건 아니지만…
만에 하나 그렇다고 한다면, 게스트 뿐 아니라
이곳에 있는 모두가 어쩌면..'

*

"레이! 레이!"

저물녘 나는 숨을 헐떡거리며 놀이터
가장자리에 안치된 널따란 돌 빤지에 엉덩이를
깔고 앉았다. 나는 손을 비벼서라도 체온을
뎁히려고 했다. 하지만 겹겹이 쌓인 건물 능선의
색이 시퍼렇게 바뀌면서 추위가 찾아왔다.

순식간에 찾아든 고립감과 이루 말할 수 없는
서러움에 눈시울을 붉혔다. 목청껏 레이를 불러도
이상한 눈길로 스쳐 지나가는 행인들의 관심만 끌
뿐. 진척 없는 이 상태가 꽤 오랫동안 지속되었다.
퉁퉁 부은 눈꺼풀을 비빈 손등도 이제는 따갑다. 다
부스러진 모래성, 바람과 그네, 미끄럼틀…

미끄럼틀? 나는 숨죽여 들썩이는 어깨를 약간
진정시킨 뒤에 붉은 원통의 비밀스러운 공간에
다가갔다. …. 레이?

어둠을 관통하는 소리가 메아리쳐 반대쪽으로
지나갔다.

음냐음냐.. 소녀의 얼굴은 막 핀 코스모스의
개구진 방랑처럼 밝고 또 환했다. 눈 가장자리에 낀
작고 작은 곱인지, 모래인지, 나는 그것을 조심스레
털어냈다. 새근새근 숨소리. 긴 꺼풀을 아래로,
비스듬히 늘어뜨리며 웅크린 모습에 내 눈은 다시
그렁그렁 눈물이 맺혔다. 훌쩍.

"나 두고 간 줄 알았잖아."

레이는 잠에서 깨어나 가늘게 뜬 눈을
손등으로 비볐다. 뒤로 비추는 가로등 불빛이
힘겹게 올라가는 안광의 조도를 밀어 올리면서

내게 속삭이는 것 같았다. '내가 널 두고 갈 리가
없잖아. 바보야.' 라고.

　나는 한번 크게 훌쩍이는 것을 끝으로
온몸으로 쏟아내는 물을 들이켰다. 코끝이 찡했다.

　"그건 뭐야?" 그제야 여지껏 레이의 품을
독차지한 대상으로 눈을 흘겼다. 커다란
도토리처럼 말려있는 놈은 세상 편한 듯 얌전하게
레이의 손을 베개 삼아 깔고 누웠다. 사람과 비슷한
피부색이 손과 발처럼 달려있었고 좁아지는 몸통
끝에는 고깔 모양의 입구가 꼼지락거렸다.

　"너클즈!"

*

6

"오샤 씨!"

헉헉.. 나는 가까스로 그녀의 걸음을
따라잡았다. 그 상여꾼이 어찌나 빠르던지 신발에
바퀴를 달았나 싶을 정도다. 복도 끝에는 잡겠다
생각하고 달려들었다가 두 층을 지나서야 겨우
객실 앞에서 마주쳤다.

"아, 한 씨. 때마침 와주셨네요. 영결식은 2 층
테라스예요. 참석할 인원을 대략 체크 중이었는데.
한 씨는…"

벌써 오늘이었나? 나는 고민할 것도 없이
가겠다고 답했다. 레이는 마빈 옆에 꼭 달라붙어
있을 것이고 마빈은 호소니에 대해 아주 관심이
많은 편이었으니, 아마 그 누구보다도 넓은 가면을

들이밀면서 가장 뒤쪽에 앉아 조망하는 자세로
벽면에 서서 내려다보겠지.

"그런데 무슨 일이시죠?"

"어제 아침에⋯ 아침에 말입니다. 혹시 해안
쪽에 있던 쥐 시체 같은 걸 못 봤나요? 분명
있었는데.. 누가 치운 것 같아서요."

"글쎄요. 여긴 쥐 같은 설치류들이 워낙 많아서.
일일이 확인해보진 않죠."

"하지만 쥐를 사냥하는 녀석은 정해져 있지
않나요? 가령, 그날 묘지에서 봤던 새 라든가.
갈매기는 우리가 버린 과자나 주워 먹으니까.."

"뭐가 궁금한 거죠?"

"실은 그 새에 대해 긴밀하게 의논드릴 게
있어서요."

오샤는 잠시 가면을 좌우로 흔들면서 주변을
살피는 듯했다. 나는 진즉 인기척이 느껴지지
않아서 한 말이었는데, 오샤의 반응이 더 묘하게 내
팔짱을 끼고 소리 나는 구두를 벗어 던져서는 나를
객실로 들였다. 얼떨결에 내 손과 가면은 갈피를
잡지 못한 채 신발장 앞에서 엉거주춤 닫히는 문을
보면서, 또 보면서 침을 삼켰다. 달칵. 왜 그렇게

하도록 내버려 두었는가? 글쎄? 나 역시 외로워서?
레이의 향한 엇나간 질투 때문에?

"뭐해요? 어서 들어오지 않고. 나도 할 말이
있어요."

"아…" 나는 짧은 탄식과 어중간한 규탄에
빠져서는 가면이 약간 달아올랐다.

오샤는 객실 내 비치된 홍차를 끓여서 앉은
책상 앞에 내놓았다. 덤벙덤벙 티백, 옅은 증기와
쌉싸름한 향에 젖어서는 휘휘 내젓는 작은 숟가락.
작은 새끼손가락마저 덧대니 마치 예쁜 공방에 온
듯했다. 방의 전체적인 분위기도 그렇고 침잠한
오샤의 복장도. 검은 프릴이 달린 셔츠는 손목에
아련하게 떨어지더니 잔을 들어 올릴 때마다
눈길이 갔다.

나는 뭘 기대했던 거지? 젠장.

"제가 먼저 얘기할게요." 라며 오샤가 운을
뗐다.

"그 새를 귀찮게 굴지 말고 내버려 둬요. 괜히
파수처럼 호들갑 떨지 말고요. 일종의 경고예요.
제가 당신을 좋게 본다는 뜻으로."

"아뇨. 저는 오히려 녀석을 보호하는
입장입니다."

"아, 그러세요?" 그녀는 시큰둥하게 대답했다.

"뭐, 그런 거라면 걱정 안 해도 되겠네요.
묘지를 터 잡은 동물은 건드리지 않는 게 좋거든요.
미신이긴 하지만⋯ 그런 관점에서 파수는 저렇게
멀쩡히 걸어 다니는 게 용하다 싶어요."

"⋯ 그보다!"

나는 상여꾼의 손을 덥석 잡았다. 달아오른
가면을 핑계로. 그녀는 약간 놀란 눈치로 가면을
뒤로 뺐으나, 이렇게 된 이상 과감하게 잡아당겨
확인하고 싶었다.

"왜⋯ 왜 이러시는⋯?"

"이상한 걸 느끼지 못했나요?"

오샤는 가면을 창가 쪽으로 돌렸다. 누가 볼까
봐?

"뭐가요?"

"그 올빼미 말입니다. 이상한 점을 느끼지
못했습니까?"

"아.." 그녀는 순간 내 손을 뿌리치고 차를
들이켰다. 나는 어디가 입술인지도 모를 저 하얀

가면과 주렁주렁 이마 부근에서 떨어뜨린 진주
장신구가 미세하게 흔들리는 걸 포착했다. 오샤는
아니라고 하지만 나를 유혹한다. 손짓, 말투, 서로
가면이 부딪히지 않을 정도로 아슬아슬한 시선
처리…. 나는 알게 모르게 그녀의 배려를 받으면서
좁아지는 간격에 집중했다.

"무슨 말씀을 하시는지 알 것 같군요."

"그렇습니까?!"

"올빼미는 원래 머리가 섬뜩할 정도로
기울어져요. 넙데데한 날개를 거꾸로 들추면 그
위용에 기겁하는 사람들도 더러 있지요."

"아뇨, 제가 말씀드리는 건 그런 일반적인 게
아니라….."

나는 두루뭉술한 이 상태를 어떻게든
설명하려고 입을 짝짝거렸다. 하지만 그녀가
알아들을 거라곤 생각하지 않는다. 그래, 직접 보지
않는 이상은 누구든 믿지 못할 것이므로. 괜한
정신병자 취급을 자처할 필요는 없다.

"아무것도 아닙니다."

우리는 이제 2층 테라스로 향했다. 별장에
상주하는 직원들과 게스트들은 거의 모두 참석했다.

희끄무레한 가면을 면포로 가리거나 그게 없어서
검은 구두로 자꾸만 소리를 내며, '여기 예의를
갖췄소' 라고 항변하는 사람들도 있었다. 제일
앞줄엔 못 보던 파수 몇 명과 웨이트리스가
자리했다. 아마 파수는 오샤를 도와서 운구하는
데에 쓰임이 있을 모양인지 말끔하고 흰 면장갑을
착용하고 오줌마려운 강아지처럼 안절부절못했다.
나는 성당에서 가져온 듯한 긴 의자가 싫어서
측랑으로 빠져서는 차라리 서 있기로 합의 보고
널따란 식당 테라스에서 거행된 영결식은 스피커
종소리가 열두 번 울리면서, 새똥을 내리 맞으며
시작되었다. 관구를 옮기기로 한 파수들 머리로
빗발치는 하얀 점액 물, 그것을 어떻게든
피하겠다고 가면을 흔들다가 관의 무게중심이
아슬아슬하게 앞으로 쏠렸고 내용물이 뒹구는
소리가 들렸다. 그러나 대수롭지 않게 아무 일
없다는 듯 중심을 잡고 또 걸었다.

　　더욱 가관인 것은, 마치 모든 일이 일부러
의도한 작전인 양 적정한 합을 맞추어
이루어졌다는 점이다. 그렇게 우리는 잘 짜인 한
편의 연극을 관람하였고 끝내 우연하게 관구가

절벽으로 떨어지는 연출까지 본 뒤에야 사람들은
박수갈채를 보냈다. 웬 박수…? 나는 그때 어물쩍
넘어가려는 오샤의 몸짓에 웃음이 났다. 영결식은
그런 식으로 허무하게 끝났다. 그 생소한 광경을
관찰하면서 별다른 특이점은 발견하지 못했다.
좀처럼 낯선 사람의 장례에 무슨 표정을 지어야
할지도 모르겠는데 다른 사람들은 편히 눈 주위를
수건으로 닦는 게 고작이었다.

　　나는 절벽으로 떨어진 관구를 좀 더 면밀하게
관찰하기 위해서 해산하는 가면들을 외면하고,
테라스에서 곧장 별장 아래로 난 계단을 향했다.
나를 지나친 사람들은 어째선지 들떠 보였다.

　　"어딜 그렇게 급히 가십니까?"

　　그야… 아래로.. 나만 그렇게 생각한 게
아니었는지 다급하게 따라온 두터운 발걸음이
거슬리던 찰나였다. 마빈은 내가 방금 지나쳐온
좁은 통로를 막고 뒤로 불어오는 거센 해풍을
그대로 맞으며 나를 불렀다.

　　"그러는 마빈 씨는요? 여기서 뭘 하는 거죠?
레이가 불안해할 겁니다. 특히나 이렇게 어수선할
때에는."

"걱정 마시죠. 방에 데려다 주고 오는 길이니까.
사실, 당신이 레이를 안다고 생각할 때마다 기분이
좋진 않소."

"미안합니다." 마빈과 데면데면하고 싶지
않은데…

"그리고 그거 병이에요. 의심병. 굳이 내려가서
뭘 확인해 볼 필요가 있어요?"

"... 그 의사가 그러던가요?"

"그런 건 진단받지 않아도 되는 겁니다."

그는 결연에 찬 목소리로 내게 말했다. 우리는
바람과 어색한 대치를 사이에 두고서 가까스로
존중과 배려에 걸 터 있었다. 그는 항상 눈으로
나를 욕하고 있었지만 내 얼굴은 가면이라,
받아들일 수 없었는데다 목소리는 또 도시
남자처럼 나긋나긋했다.

"같이 가시겠습니까?" 내가 먼저 제안했다.

"예 뭐, 그러시죠."

우리는 오솔한 벽돌길을 따라 아래로 내려갔다.
왼쪽으로 거친 돌담이 푸른 바다를 적나라하게
찌푸렸다. 방향이 두 번 정도 꺾이면서 극심한 짠
내가 올라오기 시작했고 그런 바다라면 케라틴질

가면도 염장질한 셈이니 검푸르고 깊은 폰토스에
잠겨도 마냥 심심하진 않을 것만 같았다.

순간 왜 그런 생각이 들었는지 모르겠지만 내
정수리를 보면서 뒤따라올 마빈의 존재가 맹렬하게
느껴지며 감정의 격동이 휘몰아쳤다. 그가 커튼
뒤로 품었던 질시, 가면 뒤의 비웃음. 문제는 하필
우리가 있던 곳이 낮은 절벽이었다는 점이어서
뒤끝이 찝찝한 동행을 쉽사리 이어갈 자신이
없었다.

결국 나는 계단참에서 서 잠시 아래를
내려다보는 척 뒤처져 그를 먼저 내려보냈다.
장담하건대 거기엔 어떠한 부자연스러운 움직임은
없었다. 그렇게 한참을 내려가다가 마빈이 말했다.

"아까 했던 말은 제가 실언했습니다. 그런
식으로 말하려던 건 아닌데 핑계를 대자면, 갑자기
한 씨를 뒤따라 가다가 어떤 감정이 벅차올라서
그만…"

받아줄까 말까 잠깐 고민했다. 마빈답지 않다.
이건 그답지 않은 대화였다. 마빈은 훨씬 더
성취적이고 이기적이며 혁신적인 사람이었다. 나는
"그럴 수도 있죠."라고 대답했지만, 그와 나를

구성하는 분위기의 전반을 나에게 일임했다는
사실이 쉽사리 믿기 힘들었다. 고집 센 마빈을
움직이게 한 뭐가 뭔지… 괜히 찜찜하고
메슥거렸다. 그도 나와 비슷한 이유로 계단참이
나타나기를 기다리는 건가?

　　나는 다시 벽으로 눈을 흘겼다. 예전엔 이곳도
바닷물에 잠겨있었는지 통로 천장에 말라비틀어져
붉게 번진 불가사리와 담청색 이끼들이 조화를
이루었고 수면을 거쳐 일렁이는 그림자와
노르스름한 빛이 번갈아 거기서 짧은 탄식을
내질렀다. 그렇게 연출된 몽환적인 분위기가 나를
현혹했다. 에릭 사티의 '짐 노 페디' 선율을 속으로
떠올리던 찰나. 딱지 앉은 키조개가 바스락 발에
밟혔고 또 마빈이 입을 열었다.

　　"이 끝엔 뭐가 있을까요?"

　　나는 한참을 망설이다 대답했다.

　　"글쎄요. 작은 보트가 정박해있거나…."

　　"레이와 저의 관계 말입니다."

　　"그야 당연히 결혼하셔서 행복하게.. 죽을
때까지.. 함께.."

나는 무슨 말을 전하려 했던 걸까. 나는 끝
문장만 나지막이 되풀이했다. "죽을 때까지.. 함께."
그러자 마빈은 걸음을 멈추고 우두커니 서서
뒤돌아 내가 밟아 흐트러 놓은 먼지 같은 것들,
침울한 소리, 다음으로 향하는 기대감 등을
지적했다.

"쉽지 않네요. 상대의 어떤 걸 느끼고 감응하고
무엇을 봐야 할지. 평생 눈도 마주치지 못하는
사람을 진심으로 믿을 수 있을까요?"

"저는 믿을 수 있다고 생각합니다."

"어떻게 그렇게 확신하죠?" 마빈이 의외라는
듯 되물었다.

"그런 부류의 애정도 있는 거니까요."

나는 나른하게 몸을 이완시켰다. 그러자
뜨겁게 달아오른 손이 내 목에 닿았고 차분하고
은근한 힘으로 하늘이 노랗게 변했다. 해수면이
천천히 차오르는 과정을 지켜보면서 가늘게 뜬
눈이 정면을 바라보지 않도록 애썼고 내 목을
죄어오는 이러저러한 감정에 집중했다. 가면 끝이
점차 말려올라가면서 어딘지 모를 숨구멍으로
공기를 뱉어댔다. 들이켜도 모자를 판에…. 켁켁..

나는 그냥 몸이 가는 대로, 마빈이 내키는 대로 두었다. 죽음이 드리운다.

"악!" 그때 마빈이 몸을 비틀며 비명을 질렀다. 켁켁켁켁. 목 끝이 따갑게 타올랐다. 젠장!

지긋지긋한 세상에서 나를 해방시켜줄 적당한 핑곗거리를 누가 방해한 거지?

마빈은 양손으로 발을 부여잡고 있었고 발목 바로 밑까지 차오른 바닷물을 노려봤다. 마침 놈이 꼬리를 휘리릭하고 잠수한 것이다.

"빌어먹을 쥐새끼!"

… 쥐?

"콜록콜록!"

"한 씨! 이런, 괜찮소? 미안합니다. 제가 또…. 무심코..!"

"아… 저는 괜찮습니다. 그보다 마빈 씨는?"

"무슨 힘이 그렇게 센지… 놈이 제 발톱을 떼어 갔소. 무려 엄지발톱을."

나는 솔직히 축하해줘야 하는지 약간 망설였다. 발톱 무좀이 그런 식으로 치료된다는 얘기를 어디서 들은 적이 있었기 때문이다. 아무튼 그는 내게 미안해할 일이 하나 더 늘어버렸고 (전의

사건도 지금과 비슷했던 거로 기억한다) 앞으로 뭘
해야 할 의지를 전연 잃어버리는 바람에 나는
쓰라린 목을 삼키고 되레 덩치만 큰 사내를 앞으로
이끌었다.

쥐 따위가…

우리는 무릎까지 물이 차오른 외측 통로를
헤적거리며 다시 전진했다. 주눅이 들어버린 그를
선두로 두기엔 무리가 있어서 별장으로 돌아가라
권유했는데도 마빈은 내 뒤를 따라오겠다고 말했다.
우리는 얌전히 물살을 헤쳤고 그에 보답하듯
수중으로 허연 물고기들이 우리를 아래쪽 길따라
유도하기까지 했다. 점차 물이 가슴팍까지
차오르고 나서야 잠깐 숨 돌렸다.

"관구가 떨어진 곳이 대략 이쯤 같소만."

"그런 것 같네요. 그런데 큰 바위가…"

나는 한창 아래로 떨어진 햇살의 방향을
가늠했다. 돌무더기가 나머지 공간을 차지했고
그곳을 향해 빨려 들어가는 듯한 느낌을 받았다.
햇살은 수면에 반사되어 동굴같이 움푹 팬
공간에서 메아리쳐서는 가면의 안면부를 강하게

쬐며, 반사, 공중으로 흩뿌려진 새들의 비행을
방해했다.

"내려갈 거요?"

"마빈 씨는 여기 계시는 게 좋을 것 같습니다.
발이…"

그는 아쉬운듯 가면을 주억거렸다. 그리고
챙겨온 짐꾸러미에서 11mm 짜리 밧줄을 꺼내 내
발목에 묶은 뒤 반대쪽 밧줄을 돌기둥에다 묶었다.
상반되는 두 감정이 들었지만 이번만큼은 그의
뜻을 따르기로 했다.

"뭘 봤는지 하나도 빠짐없이 나에게
말해주기로 약속해주시오."

"제가 뭣 때문에 마빈 씨께 숨기겠어요."

"예. 한 씨는 분명 그럴 사람이 아니죠. 그럼
더욱 약속하지 못할 이유가 없겠군요."

그는 집요하게 약속을 받아냈다. 나는
억지스럽고 작위적인 손가락을 맞대는 행위가 뚝뚝
끊기는 면발처럼 느껴져서 무르익지 않은 약속의
전제가 썩 불쾌했다. 그러나 나도 이따금 마빈의
괴력적인 힘이 필요하긴 했다. 그는 협소한
바위틈으로 내가 지나갈 수 있도록 양 전완에 바짝

힘을 줬고 멧돼지 성체만한 바위가 들썩거렸다. 흐읍!

나는 거의 묘기에 가까울 정도로 민첩하게 잠수했는데 마빈의 어마 무시한 힘이 순간 풀리면서 내려앉은 바위가 내 어깨를 스치는 바람에 하마터면 으스러질 뻔했다.

하지만 벌써 지나친 두려움보다도 눈앞에 닥친 호승심과 모험심이 모든 생존 욕구를 짓누르기에 이르렀다. 바닷속은, 그러니까 별장의 아랫부분 한정으로 대체로 어두웠다. 일자로 곧은 기둥 너머로 아낌없는 빛이 바다를 아우르고 있었지만 내가 있는 곳은 그쪽 바다와 전혀 관계없는 단절된 공간처럼 어둡고 축축했으며, 아무것도 흐르지 않는 고착된 진물의 집합체 같았다. 하지만 환호받지 못한 이런 곳에도 작은 생명이 옥빛과 푸른빛을 은은하게 반사하며 공공연히 존재를 알렸다. 아늑하다.

그러나 나는 고작 시각정보를 꾸며낸 작은 바다에 속은 것뿐이다. 심해의 진면을 보노라면 온몸이 사경에 노출된 채로 얼어붙어서는 가없이 이어지는 시간에 모든 사고를 멈춰버릴 테니까.

여기는 표면적인… 바다의 겉표면, 우리가 쓴
가면이나 다름없었다.

　　나는 바닥이 보일 때까지 헤엄을 치고 숨을
참았다. 등 푸른 빛과 해류, 찬 기운과 노니는 해저
생물들은 속박된 내 발목을 이따금 힐끗 쳐다보곤
철창에 갇힌 유인원을 보는 양, 어쩌다 거리가
좁혀지면 새침하게 뒤돌아 격한 몸부림으로 나를
피했다. 아마 레이가 이 광경을 조금 떨어져 보고
있었다면 당장 작살을 꽂아 내장을 발라내고 불을
지폈을 거다. 그녀는 평화주의자였지만 본인 외의
존재가 나를 괴롭히는 걸 두 눈 뜨고 보는 법이
없었으니까. 그래, 레이는 그랬다. 코홀리개
집단에서 나를 주도적으로 따돌렸으면서도 뒤로는
친구로서 자리매김하던.. 한참 시간이 지나서 그런
일이 '일반적이지 않은 관계'라는 걸 깨달았지만
그땐 이미 레이라는 존재가 내게서 떨어뜨릴 수
없을 만큼 복잡하게 얽혀있었다. 나는 레이가
필요하다…

　　이런저런 생각에 잠겨있을 동안 팔과 다리가
조금 지쳤다. 그리고 때마침 달걀 썩은 유황냄새가
났는데 어떻게, 무슨 신체 기관으로 그것을

감지했느냐고 물으면 그것에 대해 거짓말쟁이가
되어 버리는 길이 훨씬 편했다. 아무튼 코를 막고
자못 다른 생경한 풍광에 넋을 놓고서 주변을
둘러봤다. 볼을 스쳐 지나가는 작은 기포 방울.
머리 위를 스치는 물고기들, 그리고 내리 쬐는
빛투성이들. 드디어 뭔가 보인다. 바닥엔
오동나무로 짠 관구들이 즐비했다. 개중 가장 최근
것으로 보이는 것으로 다가가 그것을 열었다.

그런데… 눈을 씻고 비벼도 있어야 할 시신이
없는 게 아닌가? 도처에 널린 무작위 관구들 역시
내 기대를 낙추시킬 뿐이었다. 캐러멜 씨의 시신은
대체…. 그때, 밧줄을 묶은 발로 저릿한 느낌이
들었다. 짧은 모스부호, 그 비스름한 느낌에
스타카토처럼 몸을 튕기며 밧줄을 잡아당겼다.

물 밖으로 나왔을 땐, 마빈은 없고 밧줄만
덩그러니 나와 기둥을 연결짓고 있었다. "마빈!
마빈!"

한창 돌아왔던 길을 되짚으며, 정말 그를
잃어버렸다는 결론에 도달했을 때의 야릇한 감정은
한동안 쉽사리 잊히지 않았다. 뭐가 어떻게 된 거지?

콜록! 콜록!

"여기 물." 레이는 내가 주는 컵을 받아 마셨다.

"고마워. 근데.. 마빈은 찾았어?"

"아직."

그날 이후로 마빈은 모습을 감췄다, 흔적도 없이 짐만 덩그러니 놓인 2인실 방과 레이 그리고 나, 나는 레이에게 위로의 말을 건네려다 관두었다. 하얀 가면에 기댄 말들이 어떻게 들릴까 차라리 이럴 땐 함구하는 게 낫다는 생각에서였다.

"무슨 생각해?"

"옛날 생각." 내가 대충 대꾸하자 레이는 좀 더 대답을 요구했다.

"초등학교 운동회가 생각나서."

"이인삼각 달리기 말이야?"

"응. 우리 같이 안쪽 다리를 묶고 뛰었잖아. 지금도 우리가 어떤 형태로 골을 향해 잘 달리고 있는지 생각했어. 너와 나, 그리고 마빈까지.. 아니, 꼭 마빈이 아니더라도.."

순간 내가 말하려는 의도가 뭐가 뭔지 모르게 되어버려서 말끝을 흐렸다. 꼭 마빈이 아니더라도.. 제삼자가 끼어있다는 말을 하고 싶었던 건가? 우리 사이에 놓인 모든 것은 하찮은 거라고. 가늘게 뜬 눈으로 레이를 살폈다. 그리고 협탁의 붉게 작렬하는 초와 촛대의 아름답고 비련한 인연을 슬픈 눈으로 비난했다.

그녀와 나 사이에는 분명히 깊은 유대가 N극과 S극이 이끌리듯, 마치 바닥으로 떨어지는 만물의 중력같이 특정 힘이 작용한다고 믿는다. 물론, 과거에 그녀와 내가 떨어져 있었던 시간도 제법 길었지만, 결국은 이렇게 제자리를 찾은 것처럼…

"배고프다." 레이는 대개 그런 말을 하면서 웃었다,

"내려가서 같이 먹을래?" 그녀는 고개를 저었다.

"그럼 가져다줄게 조금만 기다려."

그렇게 나는 잠시 시간을 때울 책 한 권을 대신 침대에 올려놓고 식당으로 향했다. 멋들어진 샹들리에가 평소보다 낮게 나를 맞이했다. 조도가 바뀌어서 그렇게 느꼈을지도. 어쨌든 낮게 느껴진 건 분명했다. 아직도 샌들 차림의 젊은 가면들은 몸에서 서로 뒤섞인 향수 냄새를 풍겨댔다.

웨이트리스는 그들에게 다가가 주문을 받고 약간의 팁과 모종의 눈짓을 교환한 듯 걸음이 약간 살랑거렸다.

나에게도 그렇게 보이는 걸 보면 남들에게 오죽하려나 싶었다.

"어때요?"

"네?"

뮬은 그렇게 말을 붙였다. "저기 주방장 보이죠?"

"네." 주방 안쪽, 뜨거운 화기가 느껴지는 곳에 하얀 가면이 붕 떠 있었다. 나는 그곳에 눈길을 보내고 싶지 않아도 어쩔 수 없이 개방된 곳이라 눈이 갔고 그쪽에서도 종종 대답하듯 내 쪽을 힐끔거렸다.

"그의 가면에서 내뿜는 강한 시선이 어떠냐 말이죠."

"흐음… 그게 어떻다는 거죠?"

"웨이트리스가 못 마땅 한 거예요. 그저 가진 몸매와 저급한 수컷들이나 걸려들 법한 짧은 유니폼을 입고 궁둥짝을 흔드는 거죠. 여기 식당은 저녁 9시엔 문을 닫는데, 그 이후의 웨이트리스의

행방이 묘연하다는 얘기가 있어요. 뭐, 그렇다는
얘기입니다. 주방장은 자기 처지를 안타깝게
여기면서 여자를 질투하고 있어요. 노동의 값이
정당하지 않다고 생각하거든요. 인체 지방질을 왜
흔드느냐고 순진하게 물으신다면, 할 말이
없겠지만요."

"저도 그렇게 샌님은 아닙니다. 왜 그런 얘길
저한테…."

"당신과 레이 씨는 어떤 관계죠?"

"아무런 관계도 아닙니다."

"그러길 바라요."

뮬은 내 손에 들린 쟁반을 정중히 가로챈 다음
레이가 있는 방으로 향했다. 레이는 은은한 달빛이
깔린 탁자 위로 머리를 기대어 곤히 자고 있었다.
뮬과 나는 서로 눈짓하면서 조용히 그곳을
빠져나왔다. 그는 내 눈을 뚫어져라 응시했다,
무언가 알아내고 싶어 하는 듯 귀찮게 나를
따라다니는 것 같았다. 그래서 복도 끝, 벽감에
다다랐을 때, 뭔가 울컥한 마음에 내가 입을 열었다.

"무슨 용건이십니까?"

"용건은 아니고요.. 그래도 자신의 위치가 어떤지는 알았으면 해서요."

"제가 뭘요?"

"이번엔 당신을 따라간 마빈 씨가 실종됐어요. 사람들이 제일 먼저 누굴 의심할 거라 생각하죠? 그런 걸 좀 자각하면서 행동하라 이겁니다."

"저더러 레이를 멀리하라는 겁니까?"

"해석하기 나름이죠. 몸조심하라는 말일 수도 있잖아요. 직설적으로 말할 수도 있지만 그건 너무 정해진 일 같이 사무적이고, 잔소리하기엔 침이 금세 마를 것 같아서요. 어쨌든, 제가 생각하기로 당신은 위험해 보여요."

나더러 위험하다니 어이가 없는 녀석이다. 뮬은 내 머리와 발끝을 천천히 한 번 훑더니 뒤돌아서 가버렸다.

"아 참. 한 씨! 옥상에 가보셨어요? 귀엽고 괴랄한 생명체가 있더라고요. 다른 게 아니라 레이 씨가 마빈 씨랑 종종 옥상에 가긴 했는데, 아마 그래서가 아닐까 싶어요."

마침 할 일도 없었고 저녁도 먹었겠다, 나는 곧장 옥상으로 향했다. 내 발목을 붙잡는 나선형

계단을 뿌리치고 바깥으로 향하는 외측 문을
맞닥뜨리자 습한 기운이 폐 정중앙까지 스며들었다.

후우… 틈으로 불어오는 바람에 서늘한 기운이
들어도 아래를 보진 않았다. 며칠 전 불행이 내
숨을 다시 죄어올 것 같았기 때문이다.

마빈을 잃은 이후로 이곳 사람들은 나를 마치
사람 잡아먹는 귀신 보듯 꺼리며 수군댔다. 그래서
나는 종교를 믿는 사람들이 가장 신성시여기는
특정 시간에 주로 자리를 피해 별장으로부터
달아나, 호두나무 옆 고매한 어둠이 깔린 들판에서
시간을 죽였다.

때때로 오샤가 눈인사를 하고, 적당한 거리를
유지한 채, 각자 세계에 심취했다. 그러다 더는 안
되겠다 싶을 정도로 할 일이 없거나, 별을 헤아리다
지치면 그 묘지에서 담요를 덮고 밤을 지샜다. 내
결백에 관해서 오샤는 딱히 관심이 없었다. 그에
반해 뮬은 이상한 소릴 늘어뜨려 놓고….
의도적으로 나에게 옥상을.

끼이이익.

아니나 다를까, 초저녁 어스름이 콘크리트
바닥면으로 내려앉아 춤다. 건너편 언덕 발 안개가

옥상과 언덕 사이 텅 빈 공간을 가득 메웠다. 마치
강줄기 하날 사이에 두고 신세계를 발견한
뱃사공의 전회를 어렴풋이 이해하고서. 노 대신
땅에 떨어진 담배꽁초를 주웠다. '누가 또 왔었나?'
나는 괜히 만지작거리다가 반대편 언덕으로 던졌다.
물론 닿을 리는 없다. 나는 그곳에서 원하는 것을
얻지 못했다. 아니, 원하는 게 뭔지도 몰랐다. 옥상
한가운데에는 지름 10m 정도 되는 큰 구멍이
안개를 가득 머금고 있었는데, 어쩌면 습한 기운이
바다 건너편이 아닌 여기서 비롯된 건 아닌지
착각이 들 정도로 어질어질하고 깊어 보였다. 마치
신화 속 글라우케의 샘을 내려다보는 듯한… 건물
구조상 그럴 리가 없는데 그렇게 보이니 두 눈을
의심했다.

　　나는 곧 흥미를 잃고 반대편으로 돌아섰다.

　　'저게 뭐지?'

　　아무렇지 않게 손을 뻗어보니, 오샤는 건너편
언덕에서 내가 무얼 잡는지 또 가면이
일그러지는지 등등 반응을 지켜보는 듯했다.
그러거나 말거나 마침내 나는 약간 사투를 벌여
놈을 잡아냈다. 두더지잖아? 이곳에?

얼굴도 없고, 그래서 가면도 없는 생명체. 그다지 흥미가 생기지 않는 녀석이다. 하! 그런데 놈의 엽기적인 행각이 본적도, 들은 적도 없는 기가 차는 것이어서 일순 말문이 막혔다. 불가사리 같은 비죽 내민 뿔 모양 입에서 연기를 뿜는다. 아주 천천히. 도넛 모양으로. 은은한 박하향이다. 야트막한 언덕에서 불어오는 안개, 그리고 옥상 두더지의 괴씸한 비행. 내가 헛것을 보고 있나? 나는 녀석의 담배를 빼앗아 던져버렸다.

"아얏!"

툭. 괘씸한 녀석.

놈은 나를 물어버리고 내게서 분리됐다. 다시 콘크리트 바닥을 헤적거리면서 아까 같이 둥글게 퍼진 찰떡 모양으로 몸을 웅크렸다…. 그리고 옆으로 벌러덩… 아니! 그게 아니었다. 손에 뭘 쥐고서.. 여유를 찾은 놈이 제일 먼저 한 일은 담뱃불을 붙이고 내 가면을 살피는 게 아닌가? 심지어는 눈도 없는데, 말도 못하는데,

'뭐야. 담배 피는 두더지 처음 봐?'라고 분명 그렇게 말하는 중이잖아?! 우리는 그렇게 잠시 달빛이 내려앉은 옥상에서 이상한 교감을 나눴고

그것을 즐겼다. 그때 만약, 내가 옅은 안개를 뚫고
탄성을 뱉거나, 시선을 거두거나, 정신없이 호들갑
떨었다면, 꿈에서 깬 듯 옥상에서 벌어진 일이
연기처럼 사라졌을 것이다. 그럼 난 아무것도
기억하지 못하는 상태가 되어 스산한 안개가
걷어짐으로.. 다음 날 아침을 맞이했겠지..

안개…? 그러고보니 좀 더 짙어지지 않았나?
건너편 언덕에 있을 오샤가 점점 뿌예서 보이지
않았다. 가령, 이 두더지가 안개를 만들어내는
거라면? 나는 작은 서생원의 기행에 점점 매료되고
있었다.

"저기…."

내가 말을 걸어보려 하자, 눈 깜짝할 새에
두더지가 공중으로 작은 로켓 추진체를 내뿜는
것처럼 꼬리를 만들어 높게 비상했다. 아. 내가
먼저 규칙을 깨버렸기 때문일까? 월광, 낮게 뜬
구름 배경으로 녀석은 고깃덩이처럼 날카로운
고리에 포박당해 짧은 팔다리를 비극적 장면에
맡겨 바둥거리고 있었다. 가엾은 녀석.. 나는
자연법칙에 질끈 외면했고 일은 벌어졌다.
순식간에 난간에 걸터앉은 맹금은 마치 내게

경고라도 하는 듯 생명의 잔열에 떨고 있는 두더지를 짓이겨 눌렀다. 자연은 옳다. 늘 옳았다. 하지만 이 감정. 주체할 수 없는 분노. 그런 감정이 치밀어 올라 손에 아무렇게 잡히는 돌멩이를 집어 던졌다. 그러나 놈은 내가 던진 약간의 망설임을 미리 꿰고 있었던 듯 피하지 않았다.

레이에게 뭐라 해야 하지? 피식자의 숙명? 결국 다시 가면올빼미는 나를 노려본다. 반달로 뜬 눈과 불확실한 웃음의 농도. 내게 메시지를 전하려는 불쾌한 몸짓. 순간 저 그로테스크한 '표정'이 갖고 싶다는 생각이 들었다. 저놈은 어떻게 표정을 지을 수 있는 거지? 애당초 가면이라서? 사과를 반으로 쪼개서 몸통을 이어붙이고 바람을 불어넣으면 딱 저놈의 생김새였다. 하지만 좀 더 곱고 고상하고 처절한 약동은 나로선 온전히 이해할 수 없었다.

"무슨 말이 하고픈 거야?"

생각으로만 하려던 게 불쑥 입 밖으로 튀어나왔다. 그러나 확실하게 가면올빼미는 듣지 못했다. 주변의 서늘한 기운이 내가 말할 때를 기다렸다가 재빨리 달라붙어 응집시켜 땅으로

내려앉았기 때문이다. 말에 하얀 서리가 껴서
시각화된 일은 처음 겪었다.

　가면올빼미는 두더지의 영혼을 낚아챘다.
불가사리 같은 입에서 희뿌연 연기가 피어오르더니
후루룩하고 뾰족한 부리 안으로 빨려 들어갔다.
그게 왜 영혼이라고 생각했냐면, 우연히 목도한 그
연기가 사라진 순간 안개가 바다를 향해 뛰어들기
시작했고 두더지는 축 몸을 늘어뜨려 완전한 이완
상태에 돌입했기 때문이었다. 그 광경을 두 눈으로
보고도 믿지 않는 사람은 오컬트 집단이나, 실종된
마빈 정도였을 것이다.

　가면올빼미는 그대로 날아갔다. 나는 온몸이
굳어 아무 말 않고 거대한 비행체의 낼갯죽지에서
뻗어 나온 깃털이 땅으로 착륙할 때까지 지겹게
응시했다. 놈은 분명 말을 걸었다.

　-영혼은 어디에 있는가?-

7

나는 한동안 그 장면을 최대한 머릿속에 머물도록 곱씹었다. 누가 가로챌까 봐 가면을 틀어막고 수도꼭지를 잠 군 듯 일상을 보내다가 혼자 남겨진 시간부터는 오롯이 그 해답을 얻기 위해 고군분투했다. 스카치테이프가 뚝 하고 끊기듯 명쾌하고 간단하면 좋을 텐데. 하지만 탐구의 영역이 간단하면 할수록 설정된 기대치보다 벌어지는 극한의 괴리를 나는 알고 있다. 어쩌면 고상한 질문은 그대로 두는 법이 나은지도 몰랐다.

레이는 내게 옥상에 가야 한다고 말했다.

"옥상엔 왜? 거기 문도 잠겨있던데?"

나는 근래 들어서 처음으로 레이에게 거짓을 말했다. 그녀는 머릴 갸우뚱 기울이면서 그럴 리 없다고 중얼거렸고 별다른 말은 하지 않았다. 옥상에 관해선 더 요구하지도 않았다. 내가 그녀의 믿음을 이용하리라고 상상해 본 적은 없었는데, 막상 그런 일이 벌어지니 부끄러워서 숨어버리고 싶었다. 내가 레이에게 진실을 말하지 않은 건 몇 가지 명료한 이유가 있어서였다.

첫째로 실종된 마빈을 찾았단 소식에도 관심 없이 이불을 끌어당겨 멍하니 창밖을 보며 프랭크 시나트라의 'fly me to the moon'을 흥얼거렸기 때문이었는데, 그때 정신과 의사 뮬은 '이미 피상적 틀을 벗어난 대상을 원위치로 상기하는 일은 레이 씨의 섬망증세를 악화시킬 겁니다' 라고 내게 말했다. 그래서 죽은 마빈 얘기를 꺼내기가 무서웠다.

두 번째로는 마빈의 사건이 미심쩍기 때문이었다. 그는 절벽 아래서 발견되었는데 하필이면 총을 들고 다니던 젊은 파수와 함께 껴안은 채로 발견됐다는 소식은 타살과 자살. 두 가지 경우의 수를 내포하고 있었는데, 우선 파수와 마빈의 접점을 도무지 추리해낼 수 없었다. 그래서 그런지 이름값 못한다며, 사람들은 내 뒤통수조차 본체만체했다. 어쨌든 그런 사소한 일들과 별개로 내 상상 속 사건의 경위는 이러했다. 내가 마빈과 함께 바다 아래서 수많은 관구를 훔쳐볼 때, 마빈은 나를 내버려두고 별장으로 되돌아갔다. 그래도 나에게 어떤 신호를 주고자 발목에 묶어뒀던 밧줄을 반복적으로 당겼었지. 발견된 장소인 절벽은 높지 않았다곤 하나, 어쨌든 절벽이라고 부를만한 정도의 높이였다. 뒤로 떨어져도 죽을 만큼은 아니어도 잘못하다간 골로 갈 수도 있겠다 싶은 정도의. 굳이 바다를 빼꼼히 내려다보지 않으면 발견하기도 힘든, 어떻게 보면 곶의 사계에 있었다.

나는 최초로 마빈과 파수를 발견한 웨이트리스를 따로 불렀다. 앞치마를 내려놓고 소매를 걷어붙이더니 그녀는 내게 다짜고짜 화를 냈다. 나는 침잠한 분위기가 실내로 번졌으면 하는 마음에 우롱차를 건네고 조금 더 부드럽게 말했다.

"사람들이 계속 죽어나가도 상관없단 말입니까?"

"전직 형사 아저씨. 당신도 '표정'을 얻기 위해서 온 거 아녜요? 그러니 무슨 일이 일어나든 아무려면 어때요? 어차피 누가 사라져도 신경 쓸 사람은 없다고요. 다른 사람들의 가면 뒤로 무슨 표정을 짓고 있는지 당신은 이해하지 못하는 것 같군요."

"알다 마다요. 다들 겁에 질려서는…"

"아뇨." 단호한 어조였다.

강하게 내리쬐는 시선은 곧 내 가면에 닿아 묘한 기운을 일으켰다. 나는 뻐근한 목을 겨우 돌려서 숨을 몰아쉬었다. 그러는 웨이트리스도 힘들어했고 그렇게까지 피력할 이유가 있었을까? 하마터면 가면과 가면끼리 터져 죽을 뻔했다. 세상 그 어떤 규칙도 이만큼 황당무계 하지도, 덜컥 스릴러로 치닫진 않았다. 그녀는 곧 무례를 거두고 자세를 고쳐앉았다. 의자 뒷면을 나와 서로 맞대고서 종종 다리를 떨거나 손톱을 물어뜯거나 하는 야트막한 감정의 요동을 공유했다. 그녀가 약간 격양된 투로 말할 때면 나는 오히려 가면을 벅벅 긁었다. 그렇게 떨어진 하얀 각질은 의미 없는 취조가 끝날 때 즈음, 바닥 카펫에 소복하게 쌓였다.

"진실을 말해줘요?"

"……"

"다들 당신과 레이 씨의 관계를 비웃고 있죠. 당신의 탐정놀이도, 사랑 앞에 비련한 척하는 레이 씨도, 모두 가식적인 짓거릴 하고 있잖아요. 그런 면에서 당신들이야말로 가면의 수혜, 벳샤의 비호를 받고 있어요. 뭍으로 드러난 산호는 결국 수면으로 비치는 태양에 메말라요. 당신과 레이 씨가 느끼는 감정은 한 겹 두툼한 가면 뒤라서 애틋하고 완성될 여지가 있어 보이는 거죠. 얼굴이, 표정이 필요한 척하지 마세요. 미안하지만 당신들처럼 진실 뒤에서 자신이 순수하다고 생각하는 사람들을 보면 역겨워요. 그래요. 어쩌면 저와 사람들이 커튼 뒤에서 느꼈던 감정이 질투일지도 모르죠. 그게 뭐 어때서요? 여기에 온 사람들은 호소니 씨의 표정을 받고 싶어서

절실하다고요. 오샤 씨, 뮬 씨…. 심지어는
불쌍하게 죽은 마빈 씨까지.. '표정 정도는 있으면
좋겠다'라는 어중간한 태도로 민폐 끼치지 말아요."

더 할 말이 없는 웨이트리스가 그렇게
뛰쳐나가고서도 나는 적당한 변명거리조차
생각나지 않았다.

사람들이 그렇게 믿어버리기로 한 일에 대해
변명을 해야 했을까? 나는 확신 없이 자리에서
일어났다. 그런 뒤, 널브러져 있는 응접실을
정돈했다.

테이블 영역에 약간 벗어난 의자를 밀어 넣고
매일 깨끗이 닦여있음에도 또다시 알콜 냄새를
풍기며 취기를 퍼뜨리는 유리잔을 한곳으로
모아두고 하얗게 범벅된 창을 닦았다. 나는 다시금
이곳을 둘러보았다. 혼란스러웠다. 달라진 게
아무것도 없다는 점, 또 흐트러질 거라는 확신.
내가 무슨 짓을 한 걸까?

사실은 정돈되어 있지 않은 게 원래의 위치인
건가? 아, 세상은 왜 이렇게 엉망진창인 걸까? 대체
언제부터? 영혼은 어디에도 없는 걸까? 나는
쓸모없는 일에 두어 시간 열중했다는 사실에

심통이 났다. 숨 막히는 이 공간에서 나는
변질되었다. 여름휴가를 맞아 성급한 마음으로
초대에 응한 게 처음으로 후회스러웠다.

여름은 무덥고 바다를 향했던 내 갈증이 어떤
심정에서 비롯된 건지 이제는 떠오르지 않았다.
그렇다고 갈증이 해소된 것도 아니었다. 나는
해방감 같은 유사 감정에 휘둘리고 싶었을 것이다.
해를 거듭할수록 1mm 씩 두꺼워지는 단단한
가면을 쓰고 다녔으니 그럴 법도 하지 않은가?
때문에 나를 해방시켜줄 적절한 대상이 필요했고
그게 하필 바다였다. 이곳에 모인 불특정 사람들이
어떤 마음으로 쌓여가는 공포와 압박을 견뎌내고
있는지 이해가지 않았다. 저들은 죽음을 이해하지
못하는 듯했다. 불투명한 보상과 수수께끼의
사건들. 누구도 해결하려 하지 않는다. 왜일까?
모든 일의 근간이 되는 리듬이, 특정 패턴이,
가식적이라고 느껴지기 때문일까? 저들이 쓴
가면과 내 것은 같은 게 아니었나?

나는 아까 옮겨 놓은 의자를 발로 툭툭
건드렸다. 그게 어떤 감정의 도화선이었는지 나는
이전에 있던 상태보다 더 과격하게 물건을 옮겼다.

유리잔이 바닥과 입을 맞추고 토라진 소리가
날카롭게 수백 개로 나뉘고 그중 몇 개는 팔을
스치며 선홍빛 포물선을 그렸고 의자는 소파 위를
날아다녔다. 어차피 엎지를 물과 찢어질 종이,
더럽혀질 창문, 언젠가 버려질 괘종시계잖아?

　　그래서 모두 내 손으로 그 일을 앞당겼다. 몇몇
사람들이 오다가다 멀뚱멀뚱 지켜보기만 할 뿐
나를 말리려는 사람은 없었다. 그런데 이상하게
속이 후련했다. 이전까지 해야 할 일과 하지 말아야
할 일을 구분 짓고 있었는데 그걸 무너뜨리는
데에는 고작 이십 분도 채 걸리지 않았다. 그러다
문득 깨달았다. 내가 질서라고 생각한 것들은 사실
그 상태로 있기를 거부한다는 걸. 입이 없어서
말하지 못할 뿐이지 혼란을 즐기고 선호한다는 걸.
그게 아니면 내가 느낀 억압을 설명할 수 없었다.
또한, 이 해방감을 계속해서 내 곁을 떠나지 않게,
영위한 상태로 두고 싶은 욕망에 사로잡혔다.
무엇보다도 내가 악동이 되었다는 사실에 묘한
희열감을 맛본 탓에 조금 전으로 돌아가기에는
늦은 것이다. 많은 사람이 지켜보는 가운데 나는

그들의 가면을 일일이 마주치려 내가 가진 가면을 낮게 깔고 눈을 부라렸다.

당연한 얘기지만, 그들과 눈이 맞아 실수로 상대 가면과 폭발하는 일은 일어나지 않았다. 그러면서도 그들의 머릿속에 있는 어둡고 부정한 생각이 내 시선이 그리는 포물선마다 아지랑이처럼 보였다. 한껏 고무된 내 동작과 감정에 휘둘리느라 처음엔 그게 뭔지 몰랐는데, 장정 셋이 나를 제압하는 과정에서 그들의 강한 적개를 내비쳤고, 그 중 한 사람이 나를 땅으로 냅다 꽂는 바람에 뒤늦게 뭔가를 깨달은 것이다.

"컥!"

나는 웨이트리스가 가져온 두꺼운 밧줄에 포박됐다. 지난번 냉동창고에서 보았던…. 그들은 나에게 헝겊 같은 걸 뒤집어쓰게 한 뒤, 갑자기 다들 구석으로 가서 수군거렸다. 아마 나의 처분을 간단하게 상의하는 듯했다.

"야 이 개자식들아! 우리를 하나씩 죽이려는 속셈이구나!"

그들은 내 말을 들은 체도 하지 않았다.

잠시 후 나는 의문의 어깨에 대롱 매달려서는 계단을 한참 올랐다. 그때의 심정은 시멘트 통에 갇혀 바부노 해안 아래에 있는 수많은 관구처럼 평생 빛을 보지 못하고 수장되어도, 혹은 다짐육이 되어서 다음 순번 호소니 씨의 초대에 응한 사람들의 출처 모를 질긴 고기가 되어도 나와는 별개의 문제처럼 느껴졌다. 어차피 죽은 뒤에 어떻게 되든 별 신경 쓰지 않고 살아왔기도 했고, 영혼이 떠난 육신 따위는 내게 또다른 가면과 다름없었다. 하지만 내가 없으면 레이는….! 나는 놈의 목덜미를 있는 힘껏 깨물었다. 헝겊 자국만 남겠지만 놈은 비명을 질렀다. 으악!!!

결국 나는 해안 쪽으로 철창이 나 있는 방에 갇혔다. 꽤 시간이 흘러서 귀뚜라미 소리가 들렸고 푸근한 안개에 몸이 절반가량 잠겨버렸다.

*

　"왜 사람들은 거짓말을 하는 걸까?"

　우리는 다음 차례를 기다리고 있었다. 바람이
불어서야 갈대가 쓰러지고, 자고 일어나야 아침이
오듯. 멍하니 놀이터 그네에 앉아 제 부모와 함께
멀어지는 아이들을 보며 뭔지 모를 순서를
기다리고 있었다.

　"누구한테 무슨 말을 들었는지는 모르겠지만,
그건 레이 너를 속이려고 한 건 아닐 거야."

"하! 누가 속았대?"

"그런데 왜 그런 표정을 짓는 거야?"

"내 가면이 어때서!"

"하얗게 질렸잖아."

레이가 키득거렸다. 우리는 가을의 완벽한 서사가 담긴 코스모스 군집을 향해 잠깐 감탄하다가도 이내 그것을 꺾어 내면서 과거를 곱씹듯 꽃향기를 폐로 밀어 넣었다. 레이는 그걸 기다리고 있었던 건가? 나는 다시 대답했다. 실은, 질문에 가까운 것이겠지만.

"아마 사람들은 자기 의견을 피력하는 일보다 주변 상황에 떠밀려 말하는 편이 쉬워서일 거야."

"그게 거짓말을 정당화한다고? 하지만 나는 배신감이 드는걸? 양치기의 죄가 심심한 상황 때문에 용서받을 수 있다는 말이잖아. 피해 입는 사람이 있을 텐데."

"내 말은, 나도 외부에 의해 휘둘릴 정도로 약하다면 거짓말을 선택할 수도 있다는 거야. 그런 일이 반복되면 상대는 속이는 일에 점점 무뎌지고 대담해지겠지. 그래서 적어도 누군가를 속이는

일은 신중해야 해. 자기도 모르게 약해지는 쪽을
택하는 거거든."

"으응~"

레이는 내 손등을 덥석 잡았다. 시뻘게지는
노을에 비쳐서 가면이 달아오른 거라고, 들이켜는
숨에 벌레가 껴서 딸꾹질이 멈추지 않는 거라고
설명해야 했다. 하지만 레이는 내게서 시선을
거두었다. 순서를. 계속 순서를 기다리는 것처럼
그네를 흔들었다. 레이는 또 말했다.

"그래서 표정이 있던 걸까? 서로의 영혼을
꿰뚫어 약해지지 않음을 선택할 수 있도록
격려해주는 거지. 얼굴을 보면 거짓말이 쉽게 들통
날 테니까."

"그럴 수도 있겠다."

거짓말이었다. 예컨대 표정은, 진실이 아니라
양치기를 위한 것이다. 타인을 속일 때 쓰는
도구였음을 레이에게 차마 말할 수는 없다. 모든
생명에 가면이 씌워진 건 들끓는 악을 두고 볼 수
없어서 내린 천벌로 보는 게 훨씬 타당했다. 나는
벳샤의 신봉자는 아니지만 만약에 실재한다면
적어도 공평한 녀석이라 생각했다. 그리고 나는

얼굴을 뺏겼지만 녀석이 싫지 만은 않은 쪽에
가까웠다.

또 엊그제 레이는 느닷없이 사막 얘기를 했다.

"나 사막에 가보고 싶어."

"왜? 굳이? 그런 곳은 탐험가나 센척하기를
좋아하는 사람들이 가는 곳이잖아."

"그냥.. 모래가 있고, 황금빛 양탄자가
능선마다 보이고 내가 그 위를 미끄러지듯
걸으면서 황망한 사막이 어떤 구슬픈 하소연을
하는지 알고 싶어."

나는 그때도 거짓말을 했다. "그거 정말
멋지겠다!"

사막이 무슨 말을 한다고..

레이는 손을 놓았다. 1 분 1 초가 천천히
흐른다. 그녀는 늘 그렇듯 오십 걸음쯤 멀리 서서
내게 손을 흔들었다. 그런 일이 있고 나면 항상
다음날 같은 시간까지 내 심장은 느리게, 아주
느리게 움직였다.

레이는..

아니, 내가 기다린 건 무엇이었을까.

*

8

"콜록콜록."

며칠이 지났다. 몸이 수척해져 이미 밧줄은
느슨하게 풀린 상태였다. 다만 온몸에 힘이
빠지므로 잠깐 눈을 감는다는 게 벌써 얼마의
시간을 허비했는지 가늠이 안 된다. 하지만 이곳에

있는 동안 분명 안개를 몇 번이나 겪었고 나중에는
지겨워서 헤아리기를 그만두었다. 창살 근처에서
아직도 코를 찌르는 설치류 등의 시체 무더기에
질끈 눈을 감았다. 맹금이 나를 가엾게 여긴 건가?
매일 밤 찾아와 던져놓은 쥐와 두더지가 꽤
쌓여있었다. 나를 괴롭게 할 의도였다면 성공이다.
덕분에 머리가 지끈거렸으니. 나는 푸근한 안개에
안주하지 않고 늘 긴장케 하니 거기에 감사의
표시라고 해야 했던 걸까?

"레이!" 나는 내가 뱉고도 화들짝 놀라 상체를
일으켰다. 또 잠이 들었나 보다. 순간 올라오는
역한 냄새에 헛구역질을 몇 번이나 해댔다. 그 정도
힘은 있다는 게 놀라웠다. 나중에 고개를 돌려보니
잠긴 문은 이미 자그마한 빗장이 벌어져 틈이
벌어져 있었고, 방금 그곳으로 가면올빼미가 직접
내 가면 턱밑까지 나름 성찬을 가져다 놓았던
모양이었다. 픽하고 웃음이 났다. 길들인 적도 없는
새가, 마치 사과를 반쪽으로 쪼갠 모습으로 물끄럼
나를 쳐다봤을 생각에. 바닥에서 문까지 이어진
놈의 솜털이 이정표처럼 나를 불렀다. 힘겹게

바닥을 기어서 기어코 뜨겁게 내리쬐는 태양을
만났을 땐, 나도 모르게 입이 벌어졌다.

"물…."

쩍쩍 갈라지는 목소리. 입천장에 달라붙어서
떨어지지 않는 생각들. 레이를 향한 감정. 복잡
미묘한 심정으로 밖을 나섰다.

끔벅끔벅. 차차 눈꺼풀에 시동을 걸고 보니,
빛에 감응하면서 주변이 보였다. 내가 있는 곳은
건물의 어느 중정이었다. 대들보가 있어야 할 곳에
태양이 걸려있었고 하얀 고사목 한 그루와 이끼
들판. 그것들의 텁텁한 냄새가 자꾸만 코를
간지럽혔다. 특히 우측 외벽을 끼고 나선으로
횡행하는 넝쿨이 의아했다. 옥상으로 갈 거면 곧장
수직으로 솟구칠 것이지. 바깥으로 나가길 꺼려
보였다. 꼭 불길한 게 위에서 기다리고 있는 것처럼.
옥상에서 보았을 때 내가 이런 델 우물이라
생각했었다니..

하얗게 질린 고사목 꼭대기에는 예의 새가
엎드려 턱을 괸 채로 잠을 청하고 있었다. 새록새록.
미약한 숨결을 보면서 지난밤 녀석의 비행을
상상했다. 번지르르한 흑갈색 깃털이 어둠으로

미끄러지면서 음밀한 교향곡이 스산한 숲과 호소니
별장을 덮쳤겠지. 높게 비상하여 언덕 위 호두나무,
죽은 숲, 별장의 인간들, 이 밖의 지상의 미물을
차례로 관조한 뒤, 달의 뒤편에서 숨을 한 번
골랐겠지. 그런 다음 칠흑의 눈으로 무엇을
담았을까? 지금도 녀석은 피로하게 반쯤 감은
눈으로 겨우 나를 경계하는데. 그에 비하면 내
목표와 빛깔은 흐리터분한 추억의 잔뇨처럼
보잘것없었다. 녀석은 그런 부정한 것들을
솎아내고 먹잇감을 분류했겠지. 사납고 맹렬하게,
조용하고 치밀하게..

　　어쩐지 녀석은 지쳐 보였다. 날개에서 등으로,
가슴으로 죽 이어진 흰 반점들이 결국 배에
이르러서는 아주 하얗게 덮여서, 그렇게 고사목과
한 몸처럼 뿌리내렸다. 신성하기로 유명한 여느
집단의 종교 의식보다도 이만큼 신성해 보이진
않았다. 그래서 훔쳐보는 일조차 불손하게
느껴져서 나도 모르게 침을 삼켰다.

　　다시 보니 그 아래로 붉은 선혈이 뚝뚝
흐르면서 모든 것을 망쳐버리고 있었다. 괜찮은
건가? 고사목이 나를 부른다. 상처 입은 자의

가엾음이 나를 찾았다. 나는 자세를 낮추고 보폭을
좁혔다. 갓 태어난 망아지처럼 겨우 절었다.

저벅저벅. 하아. 하아. 우리는 동작을 놓치지
않고 적당한 긴장감을 유지한 채, 서로의 허락을
구했다. 나는 너에 대한 경외를. 너는 수수께끼에
대한 답을..

그날 내게 물었지. 영혼은 어디에 있느냐고.
나는 그 질문 자체에 흠뻑 매료되어 한동안 멍하니
그 일을 곱씹었어. 하지만 언제나 해답 근처에서
빙빙 도는 오답과 하나에 끈질기지 못한 내 성격
탓에 시간만 부추겼지. 그런데 다친 너를 보니
알겠어. 왜 그런 질문을 던졌는지. 또 레이가 내
삶에 얼마나 깊게 침투해 있는지. 뇌리에 박힌
레이의 무구한 표정을 평생토록 좇았어.

가면 대신 보조개가, 가끔은 말 대신 모든 걸
투영하는 눈 맞춤이 사무치게 그리웠다고. 그
한순간을 간직하며 살았어. 그건 내일 당장 죽어도
후회가 없을 만큼 가치 있는 일이었지. 적어도 나는
그랬어. 인간은, 인간은 본디 얼굴을 맞대고
부대끼는 생물이잖아?

그러니까 이제는 알겠어.

아름다운 영혼은 표정에 있다는 걸..

고사목 바로 아래서 그 말을 전하려 하는데.
때마침 귀를 찢는 불쾌한 소리가 났다.

탕!

...

중정을 에워쌌던 긴장이 달아나고 붉게 빛나는
액체가 사방으로, 손등으로 튄다. 거세게 요동치는
심장에 시간이 멈춘 듯 고요한 이명이 이곳을
급습했다. 툭. 녀석은 땅으로 떨어졌다. 내가 할 수
있는 많지 않았다. 고작 퍼덕이는 날개를
진정시키고 망연히 땅바닥에 주저앉아 녀석이
외롭지 않도록 몇 번이나 잦아드는 숨에 맞추어
영혼을 쓸어내렸다. 이윽고 몸을 파르르 떨더니
나와 눈을 맞추고 힘없이 축 늘어졌다. 그 와중에
그런 생각이 들었다.

'녀석은 내 답을 들었을까?'

목구멍이 뜨겁게 타올랐다. 건조한 사막이 왜
그렇게 아우성치는지 알 것 같았다. 하고 싶은 말은
많은데 그보다 더 정갈하고 함축적인, 이를테면 눈

맞춤 같은 것들이 세상에 공공연히 확장하길
바라서였다. 누군가 외롭고 쓸쓸한, 고달픔을 겪고
있을 때. 한쪽으로 쏠리는 영광이 공명정대하기를
말이다. 하지만 모든 사건은 초겨울 낙엽처럼
완전히 바스러졌다. 호소니 별장에 있는 생명은
그렇게 하나둘씩 꺼졌다.

　저벅저벅.

　옥상에서 느껴지는 인기척이 선득했다. 사냥꾼!
휙 하고 고개를 돌리자, 누군가 태양을 등지고
엽총을 만지작거리며 나를 표독스럽게 응시했다.

　"한?"

　이 목소리는…. 레이…? 레이가 왜..?

　레이는 4m 정도 되는 싱크홀 난간에 걸터앉아
천천히 숨을 골랐다. 순간, 측광이 잽싸게
기울어지면서, 희던 고사목이 노르스름해지면서,
정속으로 가던 시간이 미끄러지면서, 안개가
차오르면서, 그녀의 목 어디쯤 또렷하게 보였다.
생각보다 무던한 내 반응에 스스로 놀랐다.

　"괜찮아? 내가 얼마나 걱정했는지 알아?
밑에서 뭐해?"

　"사람들은?"

그녀는 소리 없이 내게 손을 뻗었다. 나는 그 의미를 확대 해석하고 싶지는 않았다. 그러나 모종의 이유가 있음을 분명히 시사하고 있었다. 어떻게 4m 의 높이를 가볍게 생각하란 말이지? 나더러 대체…

"레이! 사람들은 어딨어?" 나는 초조함을 견디지 못하고 소리를 질렀다.

레이는 빙긋 웃기만 할 뿐, 넝마가 된 옷이나 맨발에서 피가 뚝뚝 떨어지는 이유에 대해선 설명하지 않았다. 하지만 분명한 것은 레이의 것은 아니었다. 그런 확신이 들었다. 그보다 레이는 내가 이 작은 생명에 연민을 가지고 끌어안고 있는 사실에 굉장히 불편한 기색을 내비쳤다. 옅은 미소 뒤에 깔린 께름칙함은 아마 그런 거겠지. 평소 같으면 보이지도 않을 감정. 그만큼 우린 그동안 느껴보지 못한 감정선에 노출돼있었다. 어쩌면 나만 그렇게 느꼈을지도 몰랐다. 순간, 대화 흐름과 관련 없이 직감했다. 지금 별장은 개미 새끼 한 마리 없고 무언가 잘못되었다는 걸. 나는 침을 삼켰다. 바늘 수십 개가 목구멍 아래로 떨어지는 듯 고통스러웠다.

땅거미가 내려앉고 전구색 원반이 잔잔한
작열감을 머금어 일그러진다. 시간이 되었다. 나는
과거에 애써 외면하던 진실을 진즉 마주하고
올바르게 놓았어야 했다. 그랬다면 이렇게 탁 트인
공간에서 수많은 관객을 모아두고 일찍이 예상했던
뻔한 결말에 연극을 할 필요는 없었겠지.

하지만 나는 겁쟁이였고 누군지도 모르는,
심지어 있는지도 모르는 호소니라는 자가 활시위를
당겼다. 그래, 나는 내심 그가 궁금했다. 웬만한
일에 무던한 레이를 끌어들였으니까.

레이는 손을 싹 거둬들이면서 느지막이 말했다.

"한, 나를 봐."

"레이.. 그건… 제발.."

의지와 상관없이 어디에 있는지도 모를
눈꺼풀이 들썩거렸다. 손바닥으로 가면 일부를
더듬으면서 시야를 가리려 해도 소용없었다. 늘
그렇듯 신체 일부가 가면 위를 미끄러지듯
이리저리 횡행했다.

으악!!!!!

수순에 불과한 의미 없는 저항. 결국, 흰자위
끝에 걸려있던 레이의 턱 부분이 시나브로

마트료시카 인형이 하나씩 덮이는 것처럼 커지기
시작했다. 내 모든 관심과 집중의 무게가 다음
장면에 그치고 말았다.

"드디어 날 봐주는구나. 기뻐."

레이는 그렇게 말했다.

"결국 호소니란 녀석도, 우리 이야기에 별수
없는 거야. 그치?"

레이는 활짝 미소 짓는다. 내가 그토록 바라고
기다렸던 목가적인 미소… 마치 서툴게 핀
히아신스의 겸손을 풍긴다. 입꼬리가 뺨을 타고
앙증맞게 걸렸다. 대체로 연분홍으로 번진 고유한
살구색 피부 위로 검은 주근깨가 별처럼
반짝거렸다. 모두가 납득할만한 미인은 아니었지만,
그래서 내겐 더 치명적이었다. 애초에 미인이라는
기준도 의미가 없다.

나는 기억을 움켜쥐고 그 깊은 궤에서
꺼내달라 아우성치던 녀석을 제일 먼저 내밀었다.
애정이란 감정이었다. 그리고 레이가 자전거
페달을 밟듯 공중을 걸어 내게 다가설 때까지
그리움, 연민, 동정, 외로움, 슬픔, 후회, 고독, 번민,
등등. 결코 아름답지만은 않은 감정도 지나갔다.

레이는 4m 나 되는 층고, 물리적 계산을 무시하고
땅을 밟았다.

순간, 서늘한 물줄기가 가면을 타고 아래로
흘렀다. 미처 식은땀인 걸 눈치채기 못하다가 귀가
먹먹해지고 엘리베이터에 갇힌 사람처럼 숨이
막혔다. 그때 이 감정이 공항이라고 할 것만은 아닌
게, 그 가학적 공간이 내게는 더할 나위 없이
부드러운 솜털같이 푸근하고 본래 내가 있어야 할
깊은 어둠처럼 느껴졌다. 좋지 않은 경험이
반복되면 익숙함에 무뎌지듯이 나를 온몸으로
급습한 흑막은 공포가 서려있다가도 싸락눈처럼
별것 아니게 느껴지는 자비스러움이 있었다. 왜
그런지 모르겠지만 익숙함이었나? 라는 생각이
스치듯 지나갔다. 그러나 이 모든 것보다도 레이
손에 아무렇지 않게 하얀 물체가 덜렁거려서 나는
거기서 다시 몸이 굳어버렸다.

"왜 아무 말 않고 서 있는 거야? 내가 보고
싶었잖아."

"여기 모인 사람들… 모두 널 찾고 있었어.
유일하게 얼굴이 있는 너를.. 레이. 넌 대체 누구야?
왜 너만 가면을 벗을 수 있는 거지?"

나는 그동안 차마 말하지 못했던. 레이가
연기처럼 사라질까 봐 두려워 꼭꼭 숨겼던 질문을
아주 힘겹게 꺼냈다. 마지막 내 곁을 스친 감정은
분명 '용기'였다.

"질문이 틀렸어."

"...?"

"너는 예전부터 그랬어. 다들 내가 무서워서
피하기만 했는데 너만은 다가와 줬어. 또, 모두 내
가면을 볼 때, 너만은 내 얼굴을 보았어. 지금도
너는 내 눈동자를 정확하게 쫓고 맞추잖아. 내가
특별한 게 아니야. 네가 나를 특별하게 만드는 거지.
나는 나야. 사이비 종교의 추앙 대상이나, 저주를
내린 벳샤도 아니야. 그러니 내게 멀어지지 말아 줘.
앞으로도 나를 적당히 외면하고, 한 발짝 떨어져
있어도 좋아. 그냥 내 곁에만 있어. 그리고 가끔
지난 일을 회상하며, 이런 저런 얘기를 하자.
세상이 너로 비롯된 걸 잊지 않도록 말야."

"그러니까. 레이 넌, 그냥 레이란 말이지?"

"그래, 간단한 문제야. 여기 모인 사람들은
집단으로 미쳐있어. 자기가 가지고 있지 않은 걸
타인에게서 뺐을 수 있다고 믿는다고. 호소니란

녀석도 별반 다르지 않겠지. 이곳은 너무 소름
끼치는 곳이야. 모두 가면 뒤로 혈안이 되어서
친절한 척 내게 말을 걸어. '언제쯤 이 게임이
끝날까요?' 그럼 난 대답하지 '실은 모두 애당초
얼굴이 없었다는 걸 깨우치면 끝나지 않을까요?'
하고 말이야.

　　그중 몇은 대답이 마음에 들었는지 언제부턴가
나를 의심하기 시작했어. 매일같이 나를 찾아오고,
너를 떼어놓으려 언덕 너머 묘터나, 바다 아래,
옥상 같은 곳으로 유인했지. 마치 수수께끼가 있는
것처럼 말야. 아니나 다를까 너는…. 사소한 것까지
의문의 꼬리를 달고서 여기까지 왔어. 네가 해코지
당할까 너무 겁이 났지만, 그들이 무슨 수를 써도
내 얼굴을 전혀 인지 못한 점이 다행이었어. 그
점만 철저히 지켜지면 네가 다칠 일이 없으니까
말이야. 결국, 이 지경이 됐지만…"

　　그렇게 말하면서 그녀는 내게 손을 뻗었다.
같이 가자는 뜻으로 생각되었다. 하지만 어디를..?
두려운 기색 하나 없이 담담하게 시를 읊조리듯
편안한 호흡으로, 잠시도 끼어들 틈이 없이 빼곡한
감정으로 레이는.

"그럴 거지?"하며 채근했다.

나는 어떤 대답을 해야 할지 몰라서 잠시 그냥 그렇게 있었다. 발바닥에 피를 뚝뚝 흘리며, 무표정으로 거짓 두려움을 호소하는 레이를 도무지 어떻게 받아들여야 할지..

"그럼 마빈은?" 내가 겨우 말문을 열었다.

"그는 너를 진심으로 아꼈어. 난 마빈과 직접적인 마찰이 없었음에도 항상 묘한 질시가 불편했거든. 그만큼 레이 널 특별하게 여겼단 뜻이겠지. 죽은 마빈이 가엾지 않아?"

그는 사랑에 충실한 남자였다. 레이 곁을 맴도는 그를 보고 있노라면 검은 완장을 찬 도베르만. 지옥의 수문장 켈베로스가 연상됐다. 나는 그런 일이 안타깝고도 다 마신 캔을 의당 찌그러뜨리는 것처럼 마땅한 일로 여겼다. 하지만 그건 내 실수였다. 켈베로스의 머리 하나가 지치면 도미노처럼 쓰러질 줄 몰랐다. 마빈의 마음은 내가 눈치채기 훨씬 이전부터 조금씩 금가고 있었다. 정갈하고 단정한 죽음. 그런 차림으로 돌바닥에 누워있는 걸 보며 그답다고 생각했다.

스스로 몸을 내던졌다고밖에는…. 내가 수중에 있었을 때, 겪었을 맹종한 충견의 비열함. 아마 마빈은 그 열등감을 견디지 못했던 모양이다.

나는 사람들에게 그의 열등감을 납득시키고 싶지 않았다. 적어도 마빈은 그럴 자격이 있다고 믿었다. "레이. 넌 지금도 마빈이 죽은 게 아무렇지 않잖아. 네가 방안에 틀어박혀 창밖을 내다본 건, 추모의 뜻이나 대단한 이유가 있어서가 아니야. 날이 좋아서. 혹은 좋지 않아서. 그랬던 거지."

레이는 한쪽 입꼬리를 내리고 약간 비죽 내밀었다. 여태 본 적 없는 표정이다. 무엇을 뜻하는 걸까? 흉내 내려 해도 내겐 쉬운 일이 아니다. 감정과 감정이 뒤엉켜 본래 있던 자리에서 조금이라도 벗어난 게 내게 극도의 불안을 조성하는 일인지 처음 알았다. 분명한 사실은 내가 느낀 건 불안과 걱정. 그 사이 어디쯤이었다. 그녀의 영혼이 조금 상한 걸까?

"그래, 맞아."

속이 뜨끔했다. 그러나 레이는 다행히도 내 속마음과 전연 다른 대답을 하고 있었다.

"너 이외의 것들은 내게 지엽적인 문제일
뿐이야. 한, 우리 사이를 완충하는 역할로 나는
마빈을 이용했어. 그런데 그게 뭐? 반대로 마빈도
마찬가지야. 그는 내가 필요했어. 마음 구석
숨어있는 열등감을 채우기 위해서. 약간의 공포를
감내하고 나를 택한 거지. 인간이라면 모두 그렇게
살아. 다만, 서로 비위 상하지 않게끔 말로 꺼내지
않고 잘 포장된 행동과 눈짓으로 겨우 관계를
연명하고 있는 거야. 그러다 어느 한 쪽이 먼저
지치거나 기분이 상할 때 '아 이 짓거리를
그만둬야겠다' 라는 생각을 하는 거지 관계를
이어야 한다는 필요성에 우리 모두는 가면을 쓰고
있는 거잖아? 그러니 마빈이 없다 해도 크게 문제
될 건 없어. 우리 관계는 그렇잖아?" "....."

　　"이번엔 내가 물을게 한, 너는 왜 가면을 쓰는
거야? 그깟 거 답답하면 벗으면 되잖아." 그게 무슨
말이야. 레이. 그렇게 말하는 건 마치 내가 가면을
쓰고 싶어서 쓰는 선택사항인 것 같잖아. 그 누구도
원해서 본래의 모습을 숨기고 껍데기에 의지하는
게 아니라고. 피부 조직과 셀 단위로 하나하나
결합되어 죽지 않고서는 이 가면은 너처럼 벗을 수

없어. 그럼에도 네가 왜냐고 물으면 자연의 불가항에 굴복했다고 밖에는.... 다들 그렇게 산다고. 심지어는 물고기들조차 아가미를 막, 잃었을 때는 익사로 죽은 개체가 많다며 미디어에서 한동안 횟값이 치솟았다며 연일 떠들었지. 네가 선택을 문제 삼고 싶은 거면, 조건부터 잘못된 다른 차원의 문제야. 그러기엔 우리 인간은 너무나 약한 존재라고-

그러나 나는 아무 말도 꺼낼 수 없었다. 왜냐면 레이는 이미 답을 내린 것처럼 그 무엇도 중요하지 않아 보였다.

조건 없는 우호가 미심쩍은 것처럼 내가 알고 지낸 레이의 모습이 저런 거였다고? 가면이 벗겨진 레이는 정말이지 적나라하고 거침없고, 어딘가 어긋나 보여도 진솔함이 깃들어서 어떤 면으로 자극적이었다. 그래 실은 네 말이 맞아. 우리 사이에서 '우리'보다 중요한 건 없어. 누가 뭘 하든, 세상 아름다운 시구의 방향이 우리를 향하지 않아도, 언제나 그래 왔듯 레이는 내게 없어선 안 될 존재니까… 라고 말해야 했다. 하지만 엉뚱한 소리가 입 밖으로 튀어나왔다.

"네가 마빈을 죽인 거야."

그녀보다 내가 더 화들짝 놀랐다. 내 입에서 그런 말이 튀어나올 줄이야. 하지만 그것보다 더 눈여겨 봐야 했던 건, 어린아이같이 무구한 레이의 얼굴이었다. 시시때때로 변하는 얼굴을 구성하는 부속품의 간격과 그 형태를, 나는 놓치지 않으려 온 힘을 쏟아부었다. 양 눈썹을 잇는 저곳은 미간이고… 손바닥 크기의 평평한 곳에 대칭적이지 않으며, 볼록한 살집에서 손가락만큼 움푹 팬 부분은 보조개라 하는 건가? 나는 그걸 보며 앙증맞다고 해야 할지 고민했다. 귀는 이따금 투명한 실에 꿰어져 누가 위에서 낚시하듯 쫑긋거렸고 이밖에 미세한 근육 하나하나가 긴장을 풀지 않고 수도관을 통과하는 유체의 울렁거림처럼 일사불란하게 움직였다. 표정이 주는 심오한 분위기와 직관은 보는 이로 하여금 놓칠 수 없는 한 폭의 명화였다.

아! 나는 속으로 짧게 탄식했다.

살면서 놓친 모든 감정의 진미를 아쉬워하며…. 또 누군가를 깊게 이해한다는 기쁨에..

이때까지 그나마 내가 읽어낸 표정은 분개, 허탈, 애환, 당혹감 정도였다. 그러면서 내 가면 이마쯤에서 또 새로운 물줄기가 뻗어왔다.

"그래… 네 말대로 정말 내가 그랬는지도 몰라. 무엇이 마빈의 밑바닥을 부추겼는지 모르겠지만, 나한테 책임이 없다고 하진 않을 게. 네가 기분이 상했다면, 그를 위해 애도할게."

레이는 그렇게 말하고는 축축해진 내 가면을 정성스레 닦았다. 그녀의 손길에 품은 연정을 느끼며, 나는 그제야 시야를 온전히 차단할 수 있었다. 잠시 후 레이는 고개를 푹 숙이고 어깨를 들썩거렸다. 그 모습은 정말이지 한 치의 거짓도 섞이지 않은. 마빈의 죽음을 비극으로 여기는 여인의 모습이었다. 나는 레이를 껴안았다. 심장 고동이 청명하고 구슬펐다. 쿵.. 쿵..

나는 그걸 질투라 인정하고 싶지 않았다. 부끄러웠다. 지금 당장 내 가면이 벗겨지면 꽤 볼 만할 것이다.

그리고 정교하게 꾸며진 레이의 얼굴. 힘없이 늘어진 손.

아, 표정이란 건 이렇게 숭고했다.

내가 믿었던 것들이 무참히 짓밟혀 없던
사실이 있는 것으로 되고, 참과 거짓을 구분하는
천칭이 중심을 잃어 세상이 뒤죽박죽 섞여버리는..
그게 죄다 무슨 소용이라고.

...

"집으로 가자."

내가 그렇게 말하자 레이는 기쁘게 웃었다.
나도 덩달아 머릿속으로 웃음을 그렸다. 그리고
아직 할 게 남았다며, 몸을 반대편으로 열어젖혔다.

"뭐… 뭐 하는 짓이야! 레이!" 그건 너무
순식간에 벌어진 일이었다.

좀 전 내 품에 가녀린 어깨를 들썩이던 레이는
눈물을 싹 지우고 둘러멘 총을 견착해 바닥으로
겨냥한 상태였다. 선홍빛 줄기를 따라 측은하게
쓰러진 작은 생명이 그 기로에 놓였고. 나는 재빨리
몸을 던졌다. 하지만 방아쇠가 더 빨랐고 결국, 두
발의 총성을 허락했다.

탕! 탕!

총성의 결과는 비참하고 그로테스크했다. 나는
레이가 쏜 탄환이 올빼미를 다시 한 번 관통하는 걸
점잖게 받아들이기 힘들었다. 사방으로 난자된

깃털과 살점의 일부들. 두려움에 사로잡힌
마음에서 쿵. 쿵. 위험신호를 보냈다. 레이를
믿어선 안 된다고.

"괜찮아?"

"무슨 짓을 한 거야…? 레이."

"진정해. 한. 이놈 정체를 알면 까무러칠 거야.
나를 믿어."

정체가 뭔데? 나는 속으로 삼켰다. 하지만
무언의 계시라도 내린 듯 귓가로 익숙한 목소리가
들렸다. 또렷하고 선명하게. 한 박자도 놓치지 않고.

-저 여자야

나는 소리가 난 쪽으로 고개를 돌렸다. 죽은
올빼미였다. 웃음이 났다. 땅에 녀석의 머리만
덩그러니 붙어있는 건지, 거대한 녀석의
몸뚱어리에 내가 서 있는 건지. 모든 무대가
완벽하게 갖추어 박수갈채만 남은 희극 무대에
남은 듯 모든 게 낯설고 이 상황을 이해하라며 나를
타이르는 듯한 압박이 불쾌한 공기 속에서
불순물처럼 섞여 있었다.

나는 겨우 웃음을 참고 고개를 돌렸다. 레이는
눈부시도록 희게 보였다. 백색의 말로 무장한
그녀는 정말 벳샤일까?

"레이… 혹시 네가 정말 사람의 얼굴을 빼앗고
가면을 씌운 거야? 올빼미가 그러는데…. 네가…"

"올빼미는 죽었어! 한, 정신 차려!"

.. 아아. 그렇지 참.

나는 거짓과 참을 분간할 방법이 없다. 그녀가
그렇다면 그런 것이고, 아니라면 아닌 것이다.
얼굴이 없다는 건 이렇게나 불합리하고 시시때때로
마음이 흔들리는 약자로 평생을 조롱당해야 마땅한
거였다. 나는 속고 있는가? 저 무구한 표정에,
매끄러운 입술에. 아무래도 좋을 리 없잖아…

어지럽다. 거의 평생에 걸쳐 레이와 쌓은
유대야말로 내가 멸시하고 증오했던 가면의 본질과
가장 먼 '소중한 것'으로 여겼다. 나는 그녀를
믿었고 그걸 선택의 문제라 생각해 본 적은 없었다.

그러나 실은 사람들끼리 서로 가면이 부딪히지
않으려 비롯된 어정쩡한 행동이나, 인간의 소극적
본성과 같은 한낱 열등 성질에 기인한 얕은 믿음이
아니었을까? 그걸 감추고자 레이를 이용한 건

155

나였나? 레이가 정신없이 뭐라 입 모양을
뻐끔거리는 장면과 엽기적인 행각이 몇 겹이나
겹쳐 보였다. 그런 일은 여길 벗어나야 한다는
생각을 견고히 만들었다.

토할 것 같아.. 이끼의 녹색과 검은색 그리고
갈색 토양과 하얀 죽음. 비릿한 땅 내음. 그런
것들이 물 밀듯 쏟아져 정신을 어지럽혔다. 바로
전까지만 해도 찬연한 빛으로, 감개로 둘러싸여
에로스가 아닌 어떤 사랑의 단미를 맛보고
있었는데, 혀끝 미뢰 돌기에 닿아 스르륵 녹는
감정은 고작 겉에 둘러싸인 껍질인 걸 깨달았다.
나는 곧바로 고개를 돌려 입을 틀어막았다.

"..... 한!"

헉… 헉… 다리가 뜨거웠다. 레이는 뒤따라
오지 않을 것이다. 그건 레이답지 않다. 거센
펌프질은 허벅다리를 채근했고, 별장 초입 언덕에
도착할 때까지 계속해서 혈류를 밀어 넣었다.

글라우케의 샘에서 어떻게 빠져나왔는지
기억나지 않았다. 당장 그곳을 벗어나고 싶었을
뿐이었다.

언덕에 서서 온통 안개에 잠겨있는 별장을 내려다보았다. 모든 방의 불은 꺼져있었고 주차장 쪽엔 차량이 그대로 즐비해 있었다. 아무도 없으면서 별장을 빠져나간 흔적도 보이지 않는다. 부연 습기가 제일 먼저 나를 반겼다. 폐부 깊은 곳에서 공기가 필요하다기에 나는 마실 수 있는 최대의 숨을 들이켰다.

허업.. 우욱.. 우웨에엑! 컥!

이번엔 목이 뜨거웠다. 그리고 묘한 해방감을 느꼈다. 나는 비틀거리면서 오솔한 숲으로 들어섰다. 차라리 피상적으로 어둡고 침잠한 숲으로 가는 게, 그래. 그편이 안심됐다.

끼에에에엑!!!!!!

별장에서 짐승이 부르짖는 소리가 들렸지만, 애써 무시하고 계속 앞으로 걸었다. 도무지 인간이 낼 수 있는 소리라곤 할 수 없었다. 저 괴음에서 내 이름을 들은 것 같다고 한다면 과장일까?

온몸이 뒤틀리고 시퍼런 멍으로 머릿속이 뒤덮이는… 그 께름칙함은 결코 잊을 수가 없을 것이다.

호두나무, 키 높이의 관목들, 낮은 수풀…
이윽고 잡초와 다시 상수리나무. 그런 풍경이 세
번쯤 반복되었다. 너무 힘들다. 지쳤다. 고개를
드는 것도, 애써 마주한 진실도, 모든 걸 레이와
연관 짓는 일도… 몇 걸음 앞, 돌부리가 눈에
들어왔다. 그 돌은 작고 단단하고 흔히 보이는
특별할 것 없는 돌이다. 그냥 비껴갈 수 있지만
모든 일을 그 돌을 힐난하며 편안해질 수도 있다.
그래서 고민할 필요도 없이 나는 넘어졌다.

몸이 움직이질 않는다.

모두 돌 때문에 벌어진 일이다. 그렇잖아?

고작 돌 하나로.

…

…

9

"한 씨!"

나는 소스라치게 놀라 거의 뒤로 나자빠질
뻔했다. 화창한 하늘 배경이 거꾸로 뒤집히면서
가까스로 누군가 나를 붙잡았다. 피로한
몸뚱어리가 축 늘어져 고목에 기대고 있던 나를.

쉿!

"며칠 안 보여서 집에 돌아가신 줄 알았어요.
그 왜.. 저번에도 그러셔서.. 괜찮으세요?"

점잖고 정돈된 억양 속에 미약한 두려움이
사리고 있는 말투였다.

"오샤…? 일이 좀 있었어요. 혹시 다른
사람들은…"

그녀는 고개를 내저었다. 우리는 서로 있었던
일을 털어놓았다. 이상하리만치 빠르게 흘러간
하루를 서툴게 나부댔고 오샤는 불안한 사람처럼
별장 쪽을 자꾸만 흘끔거렸다.

"전부라고 할 수 없지만, 당신이 사라진 요
며칠 캐러멜 씨와 같은 가면사로 죽은 사람이
늘었어요. 가면에 숭숭 구멍이 생겨 벌집이 되거나,
녹아내리거나, 바스러져서 모래가 되거나,
종이처럼 구겨져서 생을 마감한 가면도 있었어요.

그런 건 아무리 저 같은 상여꾼이라도 처음 본
거였어요."

"어떻게… 그런 일이.."

"심지어는 가면끼리 시선이 부딪혀 터진 건
하나도 없었어요. 홀로 방에서, 식당에서, 아무도
가지 않을 법한 밀폐된 통로에서도 사람이
죽었어요. 웨이트리스.. 물 씨.. 슬리퍼 차림의 젊은
사람도요. 살인 사건일까요? 아니면 신종 자결?
이번 일에 어떤 집단 종교의식이나 아포칼립스
소재가 끼어있는 걸까요?"

문득 레이가 떠올랐다. 차갑고 냉정한
손길에서 뻗쳐 붉게 돋은 이끼같이 선명한, 나를
향한 회유. 내가 외면하고 뿌리친 레이의 섬뜩함은
일련의 사건들과 관련이 있던 거였나?

"글쎄요. 너무 허무맹랑한 말들뿐이라…"

"정말이라니까요?"

"아. 죄송합니다. 제가 좀 갇혀있어서 어떻게
돌아가는지 이해가 잘 안되서요."

"갇혀 있었다뇨?"

머리가 띵한 바람에 몇 번이나 흔들어야 했다.
그리고 내 얘기를 했다. 물론, 나는 교묘한 거짓을

섞는 걸 잊지 않았다. 오샤가 받아들일 수 있는
만큼의 양에 진실을 첨가해 혹시 모를 의심을
피했다. 진실을 부풀리는 건 어렵지 않지만, 적당히
가감해 상대 거부 반응을 미연에 방지하기란
진땀을 뺄 정도로 어려운 기술이다. 그러나 어제
이후로 그런 거짓말이 눈을 깜빡이는 것보다
수월함을 느꼈다. 지어낸 얘기가 끝날쯤엔, 이미
나는 술에 절어 이곳까지 방종한 취객이었고
증명이라도 하듯 알코올 냄새도 풀풀 풍겼다.
어떻게 그게 가능한지 나로서도 이해할 수 없었다.

나는 내내 거짓을 말했다. "저를 벳샤라 생각한
사람들한테 감금당했습니다. 자백을 요구하며
가면에다 대못질하더군요.. 혹시 레이를 보셨나요?
무사해야 할 텐데.." 라는 식이었다.

그리고 차츰 진실이 되어 안면부 살갗이 움푹
패고 피가 고이더니, 가면에 동전만한 구멍이
생겼을 때는 기겁하여 거의 비명을 지를 뻔했다.

"괜찮으세요?"

"바… 방금 보셨어요? 멀쩡하던 가면이…"

나는 말을 잇지 못했다. 언제부터 거짓말에
익숙해진 거지? 외부로 뻗치는 언어가 브레이크

161

없이 고속도로를 달렸다. 쏟아진다. 가속한다. 나는
스스로 밀리고 또 밀려서 결국 고랑 끝에
매달려있었다. 손잡이 없는 거짓을 쥐고 세상을
향해 볼품없이 휘둘렀다. 내가 왜 그랬지?
그런데도 나는 반성 대신 '참'을 비난하는 쉬운
일을 택했다. '참'은 은연중에 어긋남을 유도했다.
거기에 내 불리한 마음이 감응돼 '거짓'이 비롯됐다.
그래서 나는 정당하다. 네가 '참'인 이유는
흐리터분한 언어 중 가식적 분류에 있는 거라고..

　　나는 약자다. 나의 말은 뒤틀리지 않고
빛줄기처럼 죽 뻗어 나갔다. 미지의 힘이 그걸
가능케 만들었다. 앞으로 나는 점점 어두운 늪을
헤적거리며, 거짓된 힘에 예속되어 벗어나지 못한
채 레이를 그리워하겠지. 꾸며진 믿음은 어떠한
메아리도 돌려받지 못하고 외롭고, 고독하게..

　　...

　　오샤가 건조하게 한마디 던졌다.
　　"냄새 좀 어떻게 할 수 없어요?"
　　"입이라도 헹구고 싶지만…"
　　스윽.
　　그녀가 넌지시 물병을 건넸다.

"여기 계셨으니 어젯밤 소름 끼치는 소리 들었죠?"

"...아니요."

나는 시치미를 뚝 떼고 물을 받아 마셨다. 오샤의 시선이 가늘어지는 기분이 들었고 애써 무시했다.

"분명 별장 쪽이었어요. 머리가 아득해지더군요. 내겐 아주 익숙한 소리여서 또렷하게 들렸어요. 그건 새끼 잃은 짐승의 절규였어요.. 그리고 별개로 말인데.."

오샤는 잠깐 머뭇거렸다. 내게 해야 할 말과 그렇지 않은 걸 구분해서인듯했다.

"호소니 씨가 온 것 같아요."

"누구요?"

"저기 별장에.. 그런 느낌이 들어요."

"아니요. 그는 죽었어요." 나는 단호하게 선을 그었다.

"네?"

"아… 아무것도 아닙니다."

그렇게 말하고 나는 가면을 꾹 다물었다. 오샤가 어떻게 하자는 여지를 주고 싶지 않아서였다. 그녀는 대화 내내 두려운 기색이 역력했으나, 동시에 나의 존재로 많은 위로를 받아서인지 차츰 고유의 색과 리듬을 찾아가는 모습을 보였다. 그건 '용기'를 가장한. 엄밀히 말해서 객기에 가까운 무모한 짓이었다.

"어쨌든 별장으로 돌아가요."

"아뇨. 별장엔 가지 않을 겁니다."

나는 딱딱하게 대꾸했다.

"그냥 밖으로 나가요… 별장에 아무도 없으니까. 제발… 그냥 나갑시다."

횡설수설하던 나는 뒤로 갈수록 절박하게, 애원하다시피 말했다. 별장으로 돌아갈 순 없다. 혹시나 레이를 마주할 용기가 나지 않았다. 분명히 아무렇지 않게 툭 흘긴 눈으로 바라보며, 웃겠지. 환한 대낮같이 푸른 장면들이 슬며시 레이와 나의 진실을 덮고 재회를 축복하겠지. 그러면 나는 모르는 척… 이건 아니야!

오샤가 대답했다.

"그래요."

"네?"

이번엔 내가 되물었다. 뜻밖의 대답이 들려온 것이다. 오샤를 설득할 수십 가지 말문을 도로 삼키며, 문득 떠오르는 생각을 묻지 않을 수 없었다.

"오샤 씨는 어쩌다 초대에 응한 건가요? 그러니까 제 말은 표정이 필요하신 이유가…."

오샤는 고개를 저었다. 뒤로 땋은 머리칼이 뒤따라 흔들렸다. 저 멀리 공기와 함께 일렁이는 숲의 아지랑이가 바람 뒤로 그림자처럼 따라붙었다. 이제 보니 그녀의 가면은 내가 알던 것보다 더 여유롭고 간단한 문장으로 보였다. 그녀는 어쩐지 내 질문에 깊은 안도를 느낀 듯했다.

"저는 표정이나 찾으려고 온 게 아녜요."

"그럼 왜..?"

"인간은 가지지 못한 걸 타인의 불행에서 찾으려는 습성이 있어요. 그래야 자기가 비교적 불운하지 않다는 착각에 위안 삼으니까요. 고로. 호소니 씨의 뜻대로 '얼굴 있는 자'를 찾은들 우리가 취할 수 있는 이득은 기껏해야 기분 전환용 마녀사냥이죠. 그런 건 싫어요. 인류의 책망을 떠안은 벳샤를 아무도 편들어주지 않는 건 너무 가학적이잖아요."

"그러니까. 당신은 세상의 얼굴을 훔친 벳샤를 지키러 온 거라구요?"

"흐음… 그렇다기보다는 정말 벳샤가 있다면, 한 번 만나서 전하고 싶었어요. 당신을 미워하는 사람만 있는 건 아니라고.."

"이해할 수 없어요. 어떻게… 적을 편 들 수 있는 거죠? 오샤, 당신의 박애주의는 편협하지 않다는 건가요? 어쩌면 박애를 실천함으로써 우월감을 얻어내려는 당신이야말로 위선자라고 생각하지 않나요?"

하… 하… 나는 끝에 가서 숨을 몰아쉬었다. 왠지 모를 답답함이 저속하게 심장을 짓누르는 것 같았다.

"한…. 인간은 가면 덕분에 자유한 존재예요."

"……."

_epilogue

오샤는 나를 어깨에 둘러메고 다시 별장
쪽으로 내려가 주차된 차량 중 한 곳에 나를 밀어
넣고 차 키를 꽂았다. 그 차는 맨 처음 내가
지적하던 검은 세단이었다. 새삼 그녀의 시퍼렇게
핏대가 선 전완이 눈에 들었다. 차가 움직인다.
넌더리나는 공터와 이별하고 별장 입구 비탈을
오르자 거짓말처럼 앓던 몸살이 싹 씻겨져 내려간
듯 숨통이 트였다. 나는 열려있던 창문을 닫아
스산하게 밀려오는 바닷바람과 넌지시 섞인
피비릿내를 차단시켰다. 별장이 거의 보이지 않을
즈음에는 하늘을 밝히던 조명이 차츰 꺼지기
시작했다. 어제와 오늘을 잇는, 하루가 저물어 다음
날이 오는 현상과 아주 다른 일이었다.

나는 일찍이 완전한 구렁텅이. 그곳으로
떨어지는 허망한 꿈을 꾼 적이 있었다. 그땐 너무
어렸어서 꿈 속에서 나를 굴복시킨 어둠에 손발이
닳도록 애원하고 얼굴을 대가로 간신히 어두컴컴한
그곳을 빠져나올 수 있었다. 영겁 같던 시간이

잠에서 깼을 땐, 겨우 십오 분 정도가 지났을
뿐이고 얼굴이 딱딱하게 굳어 있었다. 자존심이
세던 나는 비참하고 무거운 마음을 지니고 다녔다.
언제든 앙갚음의 대상이 나타나라는 식으로.
그러나 꿈에 두고 온 기억을 곧이곧대로 믿기엔
이십 년이라는 꽤 긴 시간이 흘렀고 지금 겪는
정전이 그때와 다르리란 법도 없다.

　　그래서 인간은 가면을 썼다.

　　다시 찾아올 어둠이 누그러진 내 표정을 읽고
'지난날은 다 잊은 모양이구나.' 하며, 똑같은
악몽을. 아니, 그보다 심한 짓을 포장해 툭
던질지도 모르니까. 특히, 인간의 표정이 케라틴
단백 껍질로 가려진 건 그런 이유에서 일 것이다.

　　인간의 감정 방어 기제는 정말이지 안타까울
정도로 단순명료했다. 다치지 않기 위해 상처 주고,
서로 속였다. 그건 '신'이 서로 아끼고 사랑하며,
존중하라는 이타적 계시보다 합리적이고
인간적인데다 쉽기까지 했다. 인간이 추구하는
효율은 이런 면을 고려했을 때, 결코 숭고할 수
없다. 앞으로 나타날 선지자들은 이 괴리를
좁히고자 먼 길을 둘러갈 것이다. 앞으로도 영원히.

어쨌거나 간사하고 비겁한. 그런 오물의
산물이 바로 '벳샤의 가면'이라는 거다. 인간에게
이토록 어울리는 상징물이 또 있을까? 그래, 나는
가면을 좋아했다. 겉으로는 진실을 염원하고
그럴싸한 향수를 꾸며서, 레이를 속이고 슬픈
로맨스를 흉내 냈다. 그런데 그게 뭐? 레이는 그걸
알면서도 내 곁을 맴돌았다. 그녀가 나에게서
정확히 어떤 것을 보았는지 나로서도 알 길이 없고
사실 중요하지도 않다. 누구든 첫사랑을 안고
살아가는 것처럼 나 같은 보편적인 사람도
레이에겐 어떤 상징을 가질 수 있는 거니까.

나는 결심했다. 다시금 나를 찾은 어둠과
타협하지 않을 거라고. 필경 다시 빛을 보지 못할
테니 배짱이라도 부려보겠다는 거다.

이윽고 악몽이 시작됐다.

"오샤 씨! 저... 저게 뭐죠? 어.. 어..
이쪽으로...!"

어렸을 적 나를 찾았을 때와는, 확연히 달랐다.
우선, 가면의 평형이 한쪽으로 쏠리면서 죽음을
앞둔 구렁이가 탈피하듯 아래로 스르륵 벗겨졌다.
그리고 무슨 미련이 남았는지 아직 내 옆을 둥둥

떠다녔다. 양볼을 타고 흐르는 불편한 액체와 또, 그게 감정의 배설 아닌 차라리 갈매기의 것이길 바라는 마음과 부딪혀 뭔가 북받쳐 올랐다.

그럼에도 뿌연 먼지와 아무렇지 않게 부랑하던 빛 입자가 한둘씩 내게서 등 돌렸다. 마치 컴컴한 방의 여닫이문이 한줄기로 뻗친 희망을 강제로 뺏어가는 것처럼 말이다. 그렇게 모든 것이 흐려지자 허공에서 거의 평생에 걸쳐 나를 옥죄던 하얀 상판이 뒤집어졌다. 놈은 던지지 못했던 질문을 그 뒷면에 한가득 머금고서 추락하는 나를 안쓰럽게 쳐다봤다. 매끄러운 곡면과 마주한 나는, 그곳에 쓰여있는 단어를 계속 곱씹었다.

'나란 인간은 어째서 더 진실하지 못 했을까..'
'레이와 나는 뭐였을까.'

당연하게 여긴 날 향한 세상의 관심이, 늘 폐부에 차있던 항쟁의 뿌리가, 내 존재를 부정하고 규격 외의 것으로 분류했다. 그러자 해방감이 두려움으로 변모하면서 내 여정의 종막을 선고했다…